D0334806
AFGESCHREVEN

Vraag:
Wat gebeurt er als degene van wie je het allermeeste houdt – een bijzonder aardig, lief en goed iemand – jou op een dag iets onvoorstelbaar vreselijks aandoet?
Waar blijft die goedheid, jouw liefde, alles waar je ooit in geloofde? Verdwijnt dat allemaal zomaar?

Wat gebeurt er als je blijft zitten met een hart dat aan puin is, twee teckels, een ingestorte moeder, en de muziek van The Jesus and Mary Chain constant in je hoofd? Hoe voel je je dan?
En wat gebeurt er als je niemand behalve God de schuld kunt geven, maar hem de schuld niet kunt geven omdat hij niet bestaat?

Antwoord:
Dit: het verhaal van Dawn Bundy.

Van Kevin Brooks verschenen eerder bij De Harmonie:

Martyn Big

Lucas

Candy

Het dodenpad

Aanwezig

Bedreigd

Zwartkonijn

KEVIN BROOKS

Dood aan God

Vertaling Jenny de Jonge

Uitgeverij De Harmonie
Amsterdam

inside me (1)

Dit is een verhaal over mij, meer niet.

(i take my time away
and i see something
and that's my story)

Dat ben ik.

head on

Goed, ten eerste: ik heet Dawn Bundy.

Ten tweede: ik ben vijftien jaar (en zeven dagen).

Ten derde: ik woon met mijn moeder in een gewoon huis in een gewone straat in een gewone stad in Engeland.

Ten vierde: ik ben absoluut onaantrekkelijk en daar heb ik schijt aan.

Ten vijfde: daarbij heb ik soms ook de neiging te overdrijven, en het kan zijn dat ik dat nu ook doe. Wat zou kunnen betekenen dat ik wel onaantrekkelijk ben, maar niet absoluut onaantrekkelijk (d.w.z. ik ben niet spuuglelijk of zo). Ik ben gewoon niet zo'n lust voor het oog, als je snapt wat ik bedoel. Ik heb nauwelijks figuur. Geen vrouwelijk figuur met welvingen zoals meisjes in tijdschriften. Eigenlijk ben ik gewoon rond, lelijk en bol. Dus nee, ik heb er helemaal geen schijt aan dat ik geen lust voor het oog ben. Ik zou het zalig vinden om een lust voor het oog te zijn: *Little Miss Pretty*, *Little Miss Hot*, een lekkere babe die je de rillingen bezorgt. Wie zou dat niet willen? Ik bedoel, schoonheid gaat verder dan de buitenkant, niet dan? Schoonheid (en het tegenovergestelde) zit van binnen, in je hart... het bepaalt je leven.

Nou ja, het enige wat ik probeer te zeggen is dat ik weet dat ik niet mooi ben, en daarmee basta.

Ten zesde: mijn moeder heet Sara en ze is negenenveertig jaar oud.

Ten zevende: mijn vader heet John en hij is twee jaar geleden verdwenen.

En als laatste: vandaag is het één januari, het begin van een gloednieuw jaar. En morgen ga ik er werk van maken om God te vermoorden.

my little underground

Het betekent niks, oké? God vermoorden betekent niks. Het is zomaar iets, meer niet. Gewoon een idee, iets om te doen, iets om me bezig te houden. (En nee, het is ook geen Nieuwjaarsvoornemen.) Ik doe gewoon graag dingen om niet aan alles te hoeven denken waar ik niet aan wil denken (of om precies te zijn, aan dat waar ik niet aan wil denken). Vorig jaar bijvoorbeeld, tegen het eind van de zomer, deed ik iets met geverfde slakken. Dat ging zo: ik was op een avond buiten in de achtertuin om wat hondendrollen weg te halen (over mijn honden vertel ik je zo meer), en het had de hele dag geregend, dus alles was zeiknat en vrij vreselijk, en toevallig zag ik dat het tuinpad vol slakken lag. Het stikte ervan, allemaal rondslijmend op het verregende beton, met een slakkengangetje hierheen, dan daarheen... en het zette me aan het denken. Geen idee waarover, maar dat maakte niet uit. Ik stond daar lekker in de regenachtige zomeravond met een hondenpoepzakje in mijn hand naar de slow motion-dans van de slakken te kijken en alleen maar na te denken, over... niks in het bijzonder.

En toen kreeg ik een idee.

Letters.

Letters, woorden, boodschappen.

Slakkencommunicatie.

Wat zou er gebeuren, vroeg ik me af, als ik een heleboel slakken zou verzamelen, letters op hun huis zou schilderen, en ze dan weer in de tuin zou loslaten? Ik bedoel, wat zou ik te zien krijgen als ik de avond daarop weer de tuin in ging? Zouden de slakken weten dat ze letters op hun rug hadden? Zouden ze zich zo rangschikken dat de letters slakkenboodschappen voor mij zouden vormen? HI LEIVE DAWN. (Ik stel me voor dat slakken niet goed kunnen spellen). Of misschien zouden de geschilderde slakken 'm smeren naar de tuinen hiernaast met boodschappen voor de buren. JIJ MOET DOOD.

En met die gedachte in mijn hoofd (en lachend bij mezelf) gooide ik het hondenpoepzakje in de vuilnisbak, riep de honden en ging naar binnen om het allemaal uit te werken. Dat duurde niet lang. Ik had alleen wat lichtgevende verf nodig, een dun penseeltje, een kartonnen doos en een paar slakken. Het enige lastige eraan was proberen uit te vissen hoeveel letters ik moest nemen om het te laten werken, d.w.z. hoeveel A's, hoeveel B's, hoeveel C's en ga zo maar door. Net als met scrabble, snap je? Ik bedoel je hebt er niet gewoon van elke letter evenveel, toch? Omdat sommige letters meer gebruikt worden dan andere. Maar goed, na veel nadenken en tellen van letters in boeken en zo, kwam ik er uiteindelijk (nogal stom) achter dat het net als met scrabble wás, dus waarom niet gewoon de scrabble letters kopiëren (d.w.z. achttien E's, zes A's, vier I's, 10 N-en, enz.)? Dus deed ik dat. (Behalve dat er honderd letters in een scrabbledoos zitten, wat betekend zou hebben dat ik honderd slakken had moeten verzamelen. Wat een hoop slakken is. Dus in plaats daarvan heb ik het aantal scrabbleletters zo'n beetje gehalveerd.)

De twee avonden daarop verzamelde ik zo'n vijftig slakken en schilderde lichtgevende letters op hun huizen (waar ik nog eens bijna een hele avond over deed) en liet ze toen weer allemaal los in de tuin. Ja, ik weet heus wel dat het allemaal nogal stom klinkt, maar eigenlijk was het best spannend: wachten tot het weer avond werd, me afvragen wat er zou gebeuren als ik met mijn zaklantaarn de tuin in zou gaan, of de slakken iets te melden hadden...

Helaas gebeurde er zo goed als niks.

En dat er zo goed als niks gebeurde kwam hoofdzakelijk doordat de lichtgevende verf die ik had gebruikt giftig bleek te zijn. (*Schadelijk bij inslikken, inademen, enz. Kan dodelijk zijn voor waterorganismen*). Ik heb geen idee hoe het gif door de slakkenhuizen heen bij de slakken zelf is gekomen, maar het was zo. En het eindresultaat van mijn slakkencommunicatie-experiment was:

a) vier dode slakken, met op hun huis (dat nog heel was) de boodschap: MNEH.
b) twaalf dode slakken, hun kapotte slijmerige huizen onleesbaar.
c) vierendertig vermiste/vermoedelijk dode slakken.
En d) twee dode merels.

Vraag: Waar slaat dit allemaal op?
Antwoord: Nergens op.

Wat ik zei, ik probeer alleen maar uit te leggen wat voor dingen ik doe, meer niet. Het soort dingen waar ik me de afgelopen twee jaar mee heb beziggehouden om niet over de andere Dawn te hoeven nadenken, de Dawn van dertien... die in een spelonk in mijn hoofd woont. (De spelonk is klein en koud en laat geen geluid door en ik probeer hem zo zacht als een kussen te maken maar meestal is hij keihard. Hij moet hard zijn om de monsters buiten te houden.)

Hoe dan ook, het is nu morgen en op dit moment loop ik door de overdekte galerij van het winkelcentrum op weg naar Waterstone's. (Sommige kinderen bij mij op school noemen het 'de winkelboulevard', alsof het een of andere coole *mall* in Beverly Hills is of daar ergens. Maar het is geen boulevard, het is gewoon een tunnel vol winkels.) En daar loop ik door de drukke gangen, met mijn hoofd omlaag, ogen constant naar de grond, handen in mijn zak, en mijn iPod hard genoeg aan om het stadsgeluid van passerende stemmen en rondzingende muzak en honderden schuifelende voeten te overstemmen...

En niemand kan me zien, helemaal niemand.

Ik ben volledig onzichtbaar.

Weet je waarom? Dat zal ik je vertellen. Omdat ik mijn nergensjas aan heb, daarom. En daarom zal de boekwinkel waarschijnlijk ook wel dicht zijn als ik daar aankom. Want als er iets is waardoor je gegarandeerd ergens te laat voor komt, is het wel het zoeken naar je nergensjas voor je de deur uit gaat. Ik heb vanmiddag zowat een uur naar de mijne gezocht. Na ongeveer een kwartier dacht ik dat ik hem gevonden had en pas toen ik hem had aangetrokken, mam gedag had gezegd en halverwege de straat was, besefte ik dat ik me had vergist. Het was toch niet mijn nergensjas, het was mijn niksjas.

Maar pas op, daar kun je je makkelijk in vergissen.

Het zijn alle twee jassen, en alle twee onzichtbaar.

Het enige echte verschil is dat de onzichtbaarheid van de niksjas hem hierin zit dat hij er niet is.

Dat is allemaal gelul natuurlijk. Ik heb geen nergensjas. Nergensjassen bestaan niet. Ik heb wel een niksjas, maar dat spreekt vanzelf. Iedereen heeft een niksjas. Meer dan een, eigenlijk. Je kunt zoveel niksjassen hebben als je wilt – miljoenen, biljoenen, triljoenen – niet alleen omdat alles wat er op de wereld bestaat wat geen jas is, een niksjas is, maar hetzelfde geldt voor alles ter wereld wat helemaal niks is.

En dat is heel veel.

Nu moet ik mijn kop houden. Het is bijna vier uur en twee januari, wat waarschijnlijk een soort tweede nieuwjaarsdag is of zoiets, wat wil zeggen dat de winkels waarschijnlijk om vier uur dichtgaan zoals op tweede paasdag en zondag...

Vraag: waarom gaan winkels in Engeland op zondag om vier uur dicht?
Antwoord: God mag het weten.

Ik weet niet zo veel van God. Ik bedoel, ik weet wel iets, het soort dingen die ze je allemaal bij godsdienst leren... hoewel, als ik eerlijk ben, heb ik bij godsdienst nooit zo opgelet. Maar ik weet de dingen die iedereen weet: de verhalen uit de Bijbel, de wonderen, het hele idee van God en de duivel en Jezus en geloof en hemel en hel en engelen en zo. Het bestaat niet dat je dat soort dingen niet weet. Je komt het overal tegen... op school, op tv, in boeken, films en kranten, in tijdschriften, op cd's, op straat, op posters, op die aanplakborden bij kerken die (je snapt het niet) met God adverteren (bijv.: WANNEER HEBT U GOD VOOR HET LAATST VERTELD DAT U VAN HEM HOUDT? Of: VANDAAG IS EEN GESCHENK VAN GOD)... het is overal. Je ontkomt er niet aan. Dus, ja, dat weet ik allemaal wel, maar verder eigenlijk niet zo veel. Je weet wel, zoals wat het verschil is tussen protestanten en katholieken en presbyterianen en methodisten en anglicanen en doopsgezinden en Quakers en unitariërs en mormonen en Jehova's getuigen en al die andere merken van het christendom. Gaan ze allemaal over dezelfde God? Of aanbidden de verschillende merken verschillende goden? Of misschien gaat het allemaal om dezelfde God, maar zit het verschil in de verpakking, een beetje zoals met dozen cornflakes in de supermarkt. Je weet wel, je hebt de echte Kellog's Cornflakes, maar je kunt ook Tesco Cornflakes, Honey Cornflakes, Tesco Value Cornflakes, Golden Flakes, Organic Cornflakes krijgen... en eigenlijk zijn ze allemaal hetzelfde – d.w.z. het is allemaal graan en vlokken en het wordt allemaal verkocht in dozen – maar elk merk smaakt net ietsje anders en ze worden allemaal in een iets andere doos verkocht.

Ik weet niet...

Misschien is het helemaal niet zoiets.

Niet dat het iets uitmaakt natuurlijk. Omdat, anders dan bij Cornflakes, er geen God is. Hij bestaat niet. Daarom zou het best eens moeilijk kunnen worden om hem te vermoorden.

i love rock-'n-roll

Ik ben nu in Waterstone's en sta op de godsdienstafdeling. Ik heb 'I Love Rock 'n Roll' op mijn iPod aanstaan en buiten regent het (Waterstone's is in een achterafstraatje net buiten het winkelcentrum), en het is bijna donker, dus probeer ik het zo snel mogelijk te doen, omdat honden hier niet binnen mogen en ik de mijne dus buiten moest laten en ze houden niet van regen. Ze heten trouwens Jezus en Maria. En ik had beloofd dat ik later meer over ze zou vertellen en volgens mij is het nu later. Dus daar gaan we.

Het zijn teckels. Om precies te zijn gladharige zwart met bruine teckels. Broer en zus, drie jaar oud, en ik heb ze vanaf dat het puppy's waren. Ik kreeg ze van mijn vader toen ik twaalf was. Ik weet niet zeker waar hij ze vandaan had, maar ik geloof dat ze misschien een beetje te jong waren om van hun moeder gescheiden te worden, omdat ze alle twee erg aanhankelijk en onzeker waren toen ik ze kreeg, en ik veronderstel dat ik hun surrogaatmoeder ben geworden. En daarom zijn we eigenlijk altijd onafscheidelijk geweest. We gaan zo'n beetje overal samen naartoe. We slapen samen, we winkelen samen, kijken samen tv. De enige tijd dat we niet samen kunnen zijn is wanneer ik op school ben. Wat een van de redenen is waarom ik er de pest aan heb om naar school te gaan.

Vraag: waarom heten ze Jezus en Maria?

Antwoord: Nou, eigenlijk zijn hier twee antwoorden op. Het antwoord dat ik meestal geef, is dat ik ze naar mijn favoriete groep heb genoemd: The Jesus and Mary Chain. Al is 'favoriet' hier misschien niet het juiste woord. Omdat wat mij betreft The Jesus and Mary Chain De Enige Groep Ter Wereld Is, De Beste Groep Van Het Heelal, De Enige Muziek Die De Moeite Waard Is Om Naar Te Luisteren. Hun nummers zijn zo somber en mooi, zo rauw, zo puur... het soort muziek waarbij je het gevoel krijgt dat je in een groot zwart gat wegzinkt.

En daar houd ik van.

Ik hoorde ze voor het eerst vier jaar geleden, toen mijn vader een cd mee naar huis nam die *Darklands* heette. Hij was er weg van en weken aan een stuk was dat het enige wat hij draaide, en hoe meer hij het draaide, hoe gekker ik erop werd. En sinds die tijd is The Jesus and Mary Chain dé enige groep voor mij. Ik heb elk nummer gedownload dat ze ooit hebben opgenomen, én ik heb al hun cd's – de enige waar ik naar luister – en ik luister er de hele tijd naar. Thuis, op mijn computer, op mijn iPod, wanneer en waar ook...

Ik luister zo vaak naar ze dat zelfs als ik niet naar ze luister ik hun nummers in mijn hoofd hoor. Hun muziek is de soundtrack bij mijn leven. Nu, op dit moment bijvoorbeeld, heb ik 'I Love Rock 'n Roll' op repeat staan (ik speel alles op repeat, meestal zo'n drie of vier keer), en waarschijnlijk blijf ik ernaar luisteren tot ik thuiskom.

Dus als mensen me vragen waarom mijn honden Jezus en Maria heten, geef ik ze dat als antwoord... dat ze genoemd zijn naar mijn favoriete groep. En dat is ook zo. Maar het is ook zo dat toen ik Jezus en Maria nog maar net had, we een paar christenen naast ons hadden wonen: meneer en mevrouw Garth (ik wist dat het christenen waren omdat ze een I ♥ JEZUS sticker op de achterruit van hun auto hadden), en dat waren echt vreselijke mensen. Ik bedoel dat ze ons altijd behandelden of we lucht waren, of we niet bestonden, onzichtbaar waren, snap je? Dan probeerden wij aardig te doen, maar ze wilden er gewoon niks van weten. Ze negeerden ons gewoon. Om niks. En daar kreeg ik echt de pest over in. Dus noemde ik mijn honden Jezus en Maria omdat ik wist dat zíj daar de pest over in zouden krijgen. En dat was ook zo. Vooral 's avonds, wanneer het mooi stil was en ik mijn honden voor een plas uitliet en dan bij de achterdeur naar ze moest fluiten en roepen: JEZUS! MARIA! TOE NOU, JEZUS! SCHIET EEN BEETJE OP! Nee, dat vonden meneer en mevrouw Garth helemaal niet leuk. En ze vonden het nog veel minder leuk toen ik Jebus begon te roepen in plaats van Jezus (dat idee kreeg ik bij een aflevering van De Simpsons). JEEEBUS! HÉ, JEEE-BUSS! Om een of andere reden zat dat de Garths heel erg dwars. Zo erg dat meneer Garth op een avond zijn raam opensmeet en naar me begon te schreeuwen.

'Hoe dúrf je!' schreeuwde hij (huilerig). 'Hoe durf je de naam van Onze Heer ijdel te gebruiken!'

'Sorry?' zei ik, terwijl ik hem onnozel aankeek.

'Je bent een verfoeilijk meisje. En dat meen ik. Een dom, beklagenswaardig meisje.'

Meneer en mevrouw Garth zijn nu verhuisd.

Godzijdank.

Heb je gezien hoeveel bijbels er bij Waterstone's zijn? Planken vol en met allemaal verschillende titels en verschillende omslagen. Op dit moment zie ik bijvoorbeeld de *King James Bijbel*, de *Geautoriseerde King James Bijbel*, de *Nieuwe Internationale Bijbel*, de *Heilige Bijbel: Katholieke Editie* en de *Jeugdbijbel* ... er is zelfs iets bij dat *Goed Nieuws Bijbel* heet. Kom op nou, zeg – ik heb buiten twee natte honden staan wachten – hier heb ik allemaal geen tijd voor.

Uiteindelijk kies ik er een die *Heilige Bijbel: de nieuwe herziene versie, met Apocriefe Boeken* heet. Met het wereldberoemde 'Nelsons unieke waaierlabel™ index referentiesysteem' (dat je blijkbaar 'helpt in een ommezien de Bijbelboeken te vinden!') Het heeft ook:

- Informatieve deelintroducties met lijntekeningen en kaarten
- Thematische titels met verwijzing voor verdere studie
- Audiotekst voor gemak bij het lezen
- Tekstuele en verklarende voetnoten voor beter begrip

En dat allemaal voor £11,99.

Het is een behoorlijk lijvig boek (1191 heel dunne bladzijden) en zo te zien staan er minstens twintig biljoen heel kleine woordjes in, dus voor ik naar de kassa loop, wip ik naar de kinderafdeling voor een veel toegankelijker uitziend boek: *Geïllustreerde Kinderbijbel* (£9,99).

Ik doe mijn oortjes uit, neem de bijbels mee naar de kassa en geef ze aan de boekhandeljongen met de geitensik.

Hij bekijkt ze, draait ze om en scant ze met dat barcodeapparaat.

'Ja, dat wordt dan £21,98 alsjeblieft,' zegt hij.

Ik wroet in mijn zak naar geld en probeer een vijftigpondsbiljet tussen de andere biljetten uit te trekken die ik daarin heb gepropt, maar terwijl ik dat doe, trek ik de andere biljetten mee en laat ik de hele boel op de toonbank vallen. Daar ligt een behoorlijke som aan contanten (wat ik zo zal uitleggen) – ongeveer £250 of zoiets – en ik zie de boekhandelpief ernaar kijken, en zich afvragen wat iemand zoals ik – d.w.z. een beetje bol en duidelijk niet erg rijk vijftienjarig meisje – met zoveel geld doet.

Ik zeg helemaal niks, graai het geld alleen maar bij elkaar, overhandig hem het vijftigje en prop de rest in mijn zak. Hij aarzelt even, haalt dan zijn schouders op (zo van: wat zou het ook?), pakt het vijftigje aan, houdt het tegen het licht om na te gaan of het echt is, stopt het in de kassa, schuift de bijbels in een plastic tas en geeft me mijn wisselgeld. Ik staar naar de biljetten en munten in mijn hand, en heb even de neiging om er een muntstuk uit te pikken, dat tegen het licht te houden, en er met samengeknepen ogen naar te kijken zoals de boekhandelpief net naar mijn vijftigje keek, alsof ik kijk of het echt is... snap je, voor de grap. Maar ik denk niet dat hij er de lol van in zal zien, en het is me trouwens te veel moeite.

'Wilt u het kassabonnetje in de tas?' vraagt hij.

Ik knik.

Hij stopt het in de tas en overhandigt die aan mij.

'Hoe laat gaat u dicht?' vraag ik.

'Acht uur,' zegt hij, terwijl hij op zijn horloge kijkt.

'Ik dacht dat jullie om vier uur dichtgingen?'

'Nee,' zegt hij. 'Acht uur.'

'Hoe laat sluiten jullie op zondag?'

'Ja, op zondag om vier uur.'

'Waarom is dat?'

Hij kijkt ongeduldig. 'Wat?'

'Waarom sluiten jullie op zondag om vier uur?'

Hij haalt nog eens zijn schouders op. 'Weet ik niet... dan gaan we dicht.'

Ik bedank hem, pak mijn bijbels, ga naar buiten, haal Jezus en Maria op, en loop de donkere winterregen in.

happy when it rains (1)

Deze regen is van het soort dat als zilver in het donker miezert. Hij dringt als een fijne nevelspray overal in door en sijpelt regelrecht bij je naar binnen, tot in je botten. En ik zou het graag prettig vinden. Ik zou graag blij zijn met regen – op een somber romantische/Jesus and Mary Chain-achtige manier – maar ik ben het niet. Het is gewoon koud en nat en akelig. Jezus en Maria houden er ook niet van. En terwijl ik terug de straat door hol naar de overkapping van het winkelcentrum, houden ze om de paar passen stil om zich te schudden. Ik snap niet waar ze moeite voor doen, het waren al nooit van die goede schudders. Om te beginnen zijn hun poten te kort. Ik bedoel, het is moeilijk om jezelf met enige kracht te schudden als je poten niet langer zijn dan de vinger van een dikke man. En zelfs al zouden ze zich echt kunnen schudden, dan nog hebben ze geen vacht om te schudden. Dus alles bij elkaar genomen is het een volkomen zinloze onderneming. Maar ze doen het toch. Waggel, waggel... schudden, schudden... waggel, waggel... schudden, schudden...

'Kom op nou,' zeg ik steeds. 'Schiet op. Ik heb niet de hele dag.'

Wat natuurlijk gelogen is.

Ik heb meer dan een hele dag. Ik heb de hele dag, de hele avond, de hele nacht, de hele volgende dag...

Ik heb geen echte vrienden. Mijn enige vrienden zijn Jezus en Maria. En dat zijn honden. Natuurlijk, ik zeg niet dat ik geen mensen ken, want dat is wel zo. Ik ken de meeste kinderen uit mijn leerjaar op school, plus heel wat kinderen die niet in mijn leerjaar zitten, en sommige van de kinderen die verderop in mijn straat wonen. Ik weet hun namen, hoe ze eruitzien, en wat voor kinderen het zijn... en soms praat ik zelfs met enkelen. Maar dat zijn niet wat ik vrienden noem.

Ik denk dat de meeste mensen me als een loser zien. En daar hebben ze waarschijnlijk gelijk in. Maar dat doet me niks. Ik bedoel, ja, oké, ik ben een loser, maar een heel tevreden loser. Ik wil niet bij de incrowd horen, en het kan me echt niks schelen wat iedereen over me zegt of over me denkt. En ja, natuurlijk word ik daarom (en ook omdat ik slimmer ben dan een doorsnee lomperik) soms vuil aangekeken, en proberen sommige andere kinderen me op te fokken door me uit te schelden. Lesbienne schijnt het meest populair te zijn. Hoewel, nu ik erover nadenk, ik het niet meer zo vaak naar mijn hoofd krijg als vroeger. Eigenlijk ben ik al tijden niet meer voor lesbienne uitgemaakt. Wat zou kunnen betekenen dat de uitschelders hebben gemerkt dat het me niks kan schelen hoe ze me noemen, of het zou zomaar kunnen betekenen dat lesbiennes tegenwoordig best cool zijn, zodat me er voor eentje uitschelden niet meer als een belediging werkt.

Maar goed, al met al, ik hoor er niet bij en wil er ook niet bij horen, dus de meeste tijd laat iedereen me praktisch met rust.

En daarom ben ik verbaasd als ik, terwijl ik bijna bij de ingang van het winkelcentrum ben, Mel Monroe en Taylor Harding, de twee grootste bitches van school, uit Accessorize zie komen en met iets van belangstelling naar me zie kijken.

Ik blijf natuurlijk niet staan.

Ik hou mijn hoofd naar beneden en loop door. Doorlopen, doorlopen, blijf naar de muziek luisteren, net blijven doen of ik Mel en Taylor niet achter me hoor roepen: ‘Dawn! Hé, Dawn! Wacht even. DAWN!’

Maar er is een grens aan doen of je niks hoort, toch? En wanneer Mel en Taylor plotseling recht voor mijn neus op het trottoir heen en weer springen en met hun armen zwaaien om mijn iPod-aandacht te trekken, heb ik niet echt veel keus, wel? Ik moet wel stoppen en zogenaamd verrast opkijken. Ik moet mijn iPod afzetten en mijn oortjes uitdoen en luisteren naar wat ze zeggen.

'Hé, Dawn,' zegt Taylor. 'Waar ga je naartoe? Waar was je?'

Ze is volledig opgemaakt, met lippenstift en zwartgemaakte ogen en wimpers en ondanks de kou en de regen heeft ze alleen een kort spijkerrokje en een spierwit bol jasje aan.

'Eh... nergens naartoe,' mompel ik. 'Gewoon... je weet wel...'

'Alles goed met je?' vraagt Mel.

Ik kijk haar aan en vraag me af wat er verdomme aan de hand is. Waarom praten die twee tegen mij? Ze zeggen nooit wat tegen me. Voor geen prijs, en al helemaal niet voor de Accessorize, met nog een stel van hun bitchvriendinnen daarbinnen, en ik in mijn niksjas, mijn zwarte flodderbroek en versleten oude laarzen en een tas bijbels onder mijn arm. Maar daar staan ze en vragen waar ik naartoe ga, of het goed met me gaat...

'Ja,' zeg ik tegen Mel. 'Ja, prima.'

Ze knikt al kauwend. Ze is kleiner dan Taylor, en ook leuker om te zien... op een ordinaire manier. Maar ordinair staat haar goed. En dat weet ze.

'Zijn die van jou?' vraagt Taylor en ze kijkt naar Jezus en Maria, die alle twee geduldig aan mijn voeten zitten.

'Ja,' zeg ik.

'Bijten ze?'

'Alleen als ik het zeg.'

'Wat zijn het voor honden?'

'Teckels.'

'Watte?'

'Worstenhondjes,' legt Mel uit.

Taylor knikt niet echt geïnteresseerd. Ze werpt een blik op de plastic tas in mijn hand. 'Wat heb je daar in zitten?'

Ik haal mijn schouders op. 'Gewoon wat boeken.'

'Boeken?' (Alsof ik haar net heb verteld dat ik een paar drollen in die tas heb zitten.) 'Wat voor boeken?'

Ik haal weer mijn schouders op. 'Gewoon boeken, je weet wel...'

'Oké.' Ze kijkt over haar schouder naar een paar meisjes die uit Accessorize komen, en draait dan terug naar mij. 'Wat doe je vanavond?'

'Wat?'

'Vanavond... wat je doet.'

'Waarom?'

'Zin om naar een feestje te gaan?'

'Een feestje?'

Ze zucht. 'Ben jij doof?'

Mel lacht.

Ik kijk haar aan.

'We hebben gewoon een klein feestje,' zegt ze, terwijl ze haar haar uit haar gezicht schudt. 'Met een paar mensen, je weet wel. Muziek. Wat drinken. Zin om te komen?'

Bijna zeg ik: 'Ik? Zin om te komen?' en hou me net op tijd in. Maar mijn gezicht zegt het nog wel: Een feestje? Jullie hebben een feestje en willen dat ík kom?

'Alles goed met je?' vraag Mel met een frons.

'Ja... ja, sorry. Ik was gewoon...'

'Moet je horen,' zegt Taylor gejaagd met weer een blik over haar schouder, 'we moeten ervandoor, oké?'

'Oké...'

Ze buigt naar me toe. 'Dus?'

'Wat?'

Weer een zucht. 'Dus... heb je zin om naar dat feestje te komen of niet?'

'Um, ik weet niet... waar is het?'

Mel en Taylor geven gelijk antwoord. 'Bij mij thuis.'

'Sorry?'

Ze kijken elkaar even aan, alle twee een beetje geïrriteerd (terwijl ze proberen dat niet te laten merken), en kijken dan weer naar mij, plotseling een en al glimlach.

'Het is bij mij thuis,' zegt Taylor. 'Het zou bij Mel zijn, maar...eh...'

'Mijn moeder is thuis,' gaat Mel door. 'Ik dacht dat ze weg zou zijn, weet je, maar ze is van gedachte veranderd. Dus is het nu bij Taylor.'

'O,' zeg ik. 'En haar moeder is er niet?'

'Nee,' zegt Taylor. 'Dus, als je langs wilt komen, een beetje lol trappen...' Ze geeft me een knipoog. 'Het is in Nelson Lane, tegenover het park. Weet je waar dat is?'

'Ja.'

'Nummer 57,' zegt ze. 'Negen uur.'

'Oké.'

En dat is het zo'n beetje. Ze draaien zich om en lopen met wiegende heupen, giechelend en fluisterend, weg, Taylor zegt iets tegen Mel en Mel slaat haar speels op haar arm, waarop Taylor een vreselijke gillach geeft... en ik blijf achter op het trottoir, koud en nat en in de war.

Ik kijk naar Jezus en Maria.

'Enig idee waar dat allemaal over ging?' vraag ik.

Maria gaapt.

Jezus likt aan zijn anus.

'Jullie worden bedankt,' zeg ik. 'Daar heb ik echt veel aan.'

inside me (2)

Ik zit nu in de bus onderweg naar huis. Regenwater drupt van jassen en paraplu's en ik ruik de zure lucht van verregende kleren en oude mensen. Ik zit boven, bijna achterin, met Jezus en Maria op de vloer bij mijn voeten. Maria rilt.

'Het is goed,' zeg ik en ik krab haar op haar kop. 'We zijn gauw thuis.'

hoe gauw?

'Gauw.'

Ik had hun jassen mee moeten nemen. Als ik hun jassen mee had genomen waren ze niet zo koud en nat geworden.

Ik ben een idioot.

Ik zet mijn iPod aan, scroll door het menu, en kies 'Inside Me'. Een moment stilte, een tik van een drum, dan komt de bas, de gitaren beginnen te ronken en

(i take my time away
and I see something)

Ik zie te veel.

In de dikke glazen ramen zie ik de kleurloze weerspiegeling van andere passagiers. Ik zie een jongetje, met zijn kin op de zilverkleurige stang boven op de stoel, grinniken om het gebrom van de bus dat door zijn hoofd trilt. Zijn moeder sist luid naar hem: 'Dennis!' en als hij niet reageert, geeft ze een onelegante ruk aan zijn arm en sist nu nog luider: 'Ik zeg het je niet nog een keer!'

Het kan Dennis niet schelen.

Verderop in de bus zie ik een man van een jaar of twintig, een en al vuile nagels en pokdalig vel, de bladzijden omslaan van een computertijdschrift, op zoek naar iets – veronderstel ik – wat hij wil hebben. Voor hem zitten twee tienermeiden in strakke kleren met elkaar te fluisteren en aanstellerige lachjes en gesmoord gesnuif uit te wisselen, en voor hen zit een jongen van mijn leeftijd in zijn eentje, slecht op zijn gemak, te spelen met het koord van zijn capuchon.

Op de stoelrug voor mij staat graffiti: een hakenkruis, een hoofd met veel tanden, en iets wat op een reusachtig harig slijmdier lijkt. Ik geloof niet dat het een reusachtig harig slijmdier moet voorstellen, maar zo ziet het eruit. Op de vloer liggen een paar plakken kauwgum en een stuk cellofaan.

De stad trekt langs in de zwartzilveren regen. Straten, wegen, bomen langs de weg, oranje lichten, lege speelvelden, elektriciteitsdraden, duizenden huizen, auto's en mensen. De grijsgroene riviermodder. Een brug. Een rijtje buurtwinkels... waar onder de luifel van een tijdschriftenwinkel een triest kijkend meisje de briefjes leest die in de etalage hangen... maar ik denk niet dat ze ze echt leest. Ik denk dat ze gewoon op iemand staat te wachten. En even vraag ik me af op wie, op haar vriendje, haar moeder, haar vader?

(it's living inside me)

Het droevig kijkende meisje kijkt nu weg van de etalage en schuift een lok haar achter haar oor, en terwijl ze hoopvol de straat af tuurt gaat de winkeldeur open en komt een Aziatische man naar buiten, hurkt naast haar neer, en maakt een grote ketting met een hangslot vast aan de kauwgumautomaat.

(Ik zie al die dingen vanuit mijn spelonk maar het is te klein en te donker hierbinnen voor wie of wat ook om mij te zien.)

In de stoel achter me rochelt een oude man een oudemannenfluim op: ggkah!

(Ik heet Dawn
  Ik ben dertien jaar.
  Ik heet Dawn.)

Ik doe mijn spelonkogen dicht, doe mijn tas open en haal mijn *Heilige Bijbel* eruit.

(i've seen it all before)

Ik weet al hoe de Bijbel begint ('In het begin,' enz.) dus in plaats van bij de eerste bladzijde te beginnen doe ik hem gewoon ergens open, rits door de flinterdunne bladzijden en begin te lezen. En het eerste wat ik tegenkom (en ik zit je niet te belazeren, dit is echt eerlijk waar)... het eerste wat ik tegenkom is een heel idioot verhaal over een Leviet en zijn concubine. Natuurlijk heb ik geen idee wat een Leviet of een concubine is, maar volgens de 'Tekstuele en verklarende voetnoten voor beter begrip,' achter in de Bijbel, is een Leviet: 'een afstammeling van Levi: een lage priester van de oude Joodse Kerk: (ook zonder hoofdletters) een geestelijke (slang).' En een concubine is niet (zoals ik dacht) een of andere bijbelse dorsmachine, het is: 'iemand (i.h.b. een vrouw) die samenwoont zonder getrouwd te zijn: een maîtresse.' Oké, dus het is een verhaal over een of andere ouwe priester en zijn vriendin of maîtresse, die geloof ik zo'n beetje door Israël trekken, en op een plek komen die Gibea heet, en om de een of andere reden geen logeeradres kunnen vinden. Dan komt er een oude man die zegt dat ze bij hem kunnen logeren als ze willen, en dus gaan ze dan met zijn allen naar het huis van die oude man en een tijdlang is het allemaal oké; hij voert hun ezels, kookt voor ze en geeft ze iets te drinken.

Maar dan komt het:

22 Terwijl de reiziger en zijn gastheer genoeglijk aan de maaltijd zaten, liepen de mannen van de stad bij het huis te hoop. Deze onverlaten bonsden op de deur en riepen tegen de oude heer des huizes: 'Laat die gast van u naar buiten komen, we willen hem nemen!' **23** De gastheer ging naar buiten en zei tegen hen: 'Mensen, bega toch geen schanddaad. Zoiets kunt u niet doen: deze man is bij mij te gast. **24** Ik heb hier mijn dochter, die nog maagd is, en de concubine van mijn gast; laat me die naar buiten sturen. Neem hen maar en doe met hen wat u wilt, maar doe deze man hier zoiets schandelijks niet aan.' **25** De belagers gingen daar niet op in, maar toen de Leviet zijn concubine de straat op duwde, naar hen toe, verkrachtten en misbruikten ze haar de hele nacht lang. Pas bij het eerste ochtendgloren lieten ze haar gaan. **26** Terwijl het langzaam licht werd, sleepte ze zich naar het huis waar haar heer te gast was. Voor de drempel viel ze neer. **27** Toen de man die ochtend bij de eerste zonnestralen de deur opende en naar buiten ging om zijn reis te vervolgen, zag hij zijn concubine daar liggen, haar handen uitgestrekt naar de drempel. **28** 'Sta op,' zei hij tegen haar. 'Kom, we vertrekken.' Maar er kwam geen antwoord. Hij tilde haar op de ezel en vertrok naar zijn woonplaats. **29** Bij zijn thuiskomst nam hij zijn mes en sneed het lichaam van de vrouw in twaalf stukken; naar elk stamgebied van Israël stuurde hij een stuk. 30 En ieder die het zag zei: 'Zoiets is nog nooit gebeurd! Nog nooit hebben we in Israël zoiets meegemaakt, vanaf de uittocht in Egypte tot op de dag van vandaag. Dit kunnen we niet toestaan. We moeten ons beraden en besluiten wat we zullen doen.'

En dat is het. Serieus waar. Je kunt het nalezen als je wilt: hoofdstuk 19 in het boek van de Rechters. Dit is het verhaal. Een stel stoere kerels (die duidelijk in de kroeg hebben gezeten) willen seks met de priester, maar de oude man wil dat niet hebben omdat de priester zijn gast is, en natuurlijk is het heel onbeleefd om je mannelijke gast aan een stel groepsverkrachters te geven. Dus wat doet die oude man: hij zegt tegen dat stelletje dronken perverse kerels dat ze de priester niet mogen hebben, maar dat ze in plaats daarvan gerust zijn maagdelijke dochter en de vriendin van de priester mogen verkrachten. Maar om de een of andere reden is de bende niet zo erg in dat andere aanbod geïnteresseerd, dus grijpt de priester zijn vriendin en smijt haar het huis uit en de mannen buiten zijn de hele nacht uitgelaten bezig om haar te verkrachten en te mishandelen. En als de priester dan de andere morgen de deur opendoet en dat arme kind op de drempel ziet liggen, werpt hij er een blik op en zegt: 'Sta op. We gaan.' Maar ze is dood. Dus neemt hij haar mee terug naar huis en snijdt haar in twaalf stukken.

Wat niet onredelijk is, stel ik me zo voor.

Ik bedoel, wat moet je anders met een dode concubine?

Vervolgens doe ik de bijbel dicht, ik weet niet zeker of ik verder wil lezen. Natuurlijk is dit gruwelverhaal waarschijnlijk een of andere allegorie of zoiets, iets wat je niet letterlijk moet nemen. Ik bedoel, het is misschien niet zo walgelijk als het klinkt.

Maar toch...

Toch een beetje een fout verhaal, hè?

cut dead

Als ik aan het eind van Whipton Lane uit de bus stap ben ik half met mijn gedachten bij God en half bij Taylor en Mel. De straatlantaarns zijn aan, onwaarschijnlijk oranje in de nog steeds stromende regen, en het is kouder aan het worden. Ik houd mijn hoofd omlaag en loop haastig Whipton Lane door, en dan rechtsaf naar Dane Street. Mijn straat. Hier woon ik.

Het is een plek van niks eigenlijk, hetzelfde als elke andere waardeloze plek op aarde. Rijtjeshuizen, bakstenen muren, een te smalle straat met te veel geparkeerde auto's. De gebruikelijke verzameling afgedankte rommel sliert rond in goten vol regenwater – lege plastic tassen, chipszakjes, uit elkaar vallende sigarettenpeuken en hondenpoep – en halverwege de straat bevindt zich een miniatuurmeer met vies grijs water waar de afvoer weer eens verstopt is.

Het is niet echt een paradijs.

Maar een hel is het ook weer niet.

Jezus en Maria weten nu waar we zijn, ze ruiken de geur van thuis. En zo snel als ze kunnen trippelen ze voor me uit, zonder het echt op een rennen te zetten, om zo snel mogelijk uit de kou en de regen vandaan te komen. Thuis is warm, thuis is droog, thuis is eten. Dat is wat zij denken.

Mel Monroe, denk ik vaag.

Mel Monroe.

Mel Monroe is de bitch waar alle andere bitches tegen opkijken. Ze is spijkerhard en ze is top. Ze pikt niks van niemand. Ze weet overal van. Mel Monroe kan je leven ruïneren door alleen maar op de verkeerde manier naar je te kijken. En tot ongeveer een half jaar geleden was ze de enige, de absolute enige, en kwam niemand bij haar in de buurt. Maar toen kwam Taylor Harding, weggestuurd (ging het gerucht) van een school aan de andere kant van de stad. Weggestuurd (gingen meerdere geruchten) wegens vechten, drinken, drugs, seks met een jongen in de gymzaal, seks met een méísje in de gymzaal, omdat ze een mes bij zich droeg, een pistool... een bazooka. Vul maar in. Je weet hoe geruchten gaan. In elk geval, toen ze voor het eerst op school kwam – met haar gevaarlijke blondinereputatie – ging iedereen ervan uit dat er tussen haar en Mel vast en zeker uiteindelijk een soort krachtmeting zou komen. Maar gek genoeg kwam die niet. De eerste paar dagen draaiden ze zo'n beetje om elkaar heen, namen elkaar op, schatten elkaar in, maar toen verschenen ze op de derde ochtend tot ieders stomme verbazing arm in arm op school. Alsof ze al eeuwig elkaars hartsvriendinnen waren: ze deden samen de ronde over het schoolplein, zagen er blits uit... en ineens was Mel niet meer de absolute enige. Mel én Taylor waren de enige. De enige twee. MelenTaylor. Met de heupen aan elkaar gekleefd als een soort bitchy Siamese tweeling.

Maar dat deed mij allemaal niks. Toen niet en nu niet. Ja, ja, ik weet heus wel wat er op school speelt. En ik hoor en zie heus wel dingen, weet overal van en wie wie is... maar niemand ziet mij, weet je nog? Ik ben onzichtbaar. Ik heb nergens mee te maken.

Dus aan de ene kant denk ik, waarom zouden Mel en Taylor mij voor een feest vragen. Waarom zou om het even wie me voor een feest vragen?

En aan de andere kant (de kant die niet met Mel en Taylor bezig is) denk ik ondertussen na over God vermoorden.

God vermoorden?

Waarom?

Hoe?

Wat heeft het te betekenen?

En dan zie ik Klodder op zijn stoep in de regen zitten.

In het echt heet hij Kevin Lodder. Hij is jonger dan ik – misschien tien of elf – en zo goed ken ik hem niet, maar hij woont maar vier huizen verderop, dus zie ik hem best vaak. Hij heeft altijd zo'n goedkope parka aan, wat voor weer het ook is, en hij is altijd in zijn eentje. En daarom mag ik hem wel. Iedereen noemt hem Klodder (behalve zijn ouders, stel ik me zo voor) omdat:

(1) Zijn voornaam Kevin is, waardoor hij K. Lodder heet (waardoor je zou verwachten dat zijn ouders dat hadden kunnen weten, maar kennelijk niet. Of misschien wisten ze het wel en vonden ze het juist leuk).

En (2) hij zo'n grote paars-rode wijnvlek op zijn gezicht heeft. Die er jammer genoeg nogal klodderig uitziet. Hij bedekt het merendeel van de linkerkant van zijn gezicht en mensen kijken daar natuurlijk niet graag naar, dus als ze met hem praten weten ze niet waar ze wel moeten kijken en hoe ze erop moeten reageren (niet op letten? iets erover zeggen?) en dan krijgen ze pas echt de kriebels en gaan zich ongemakkelijk voelen... dus laten de meesten hem links liggen. Alsof hij een ziekte heeft of zo. Dus is hij meestal in zijn eentje, trapt soms een balletje, zwerft wat rond, en soms (zoals nu) zit hij op zijn stoep en kijkt naar voorbijgangers.

Nu moet hij lachen als Jezus en Maria naar hem toe waggelen om even aan zijn gympen te ruiken.

'Jullie zijn nat,' zegt hij, terwijl hij Maria op haar kop krabbelt.

'Komt van de regen,' zeg ik en ik blijf bij hem staan en zet mijn iPod uit. 'Die heeft meestal dat vochtige effect.'

Hij kijkt op. 'Je zou ze een jas moeten geven.'

'Ze hebben jassen.'

Hij lacht. Zijn wijnvlek is vandaag knalpaars. Dat komt door de kou. Zijn klodder wordt paars als het koud is en oranje-rood als het warm is.

'Alles goed?' vraag ik.

'Ja.'

'Wat doe je?'

'Niks bijzonders...' Hij werpt een blik op de plastic tas in mijn hand. 'Heb je iets goeds?'

'Bijbels,' zeg ik.

'Bijbels?'

'Ja.'

Terwijl ik glinsterende regendruppels van mijn voorhoofd afveeg, richt Klodder zijn aandacht op een voorbijrijdende bestelbus. Een blauwe bus met *MeubelSuper* op de zijkant. Het is een versleten oud ding, aan alle kanten opgelapt en roestig, met een verbogen antenne en een koplamp die met plakband vastzit en ramen zo vuil dat je er niet doorheen kan kijken. Ik heb hem eerder gezien.

Klodder volgt hem met zijn ogen als hij langsrijdt, Dane Street helemaal uit, om dan links af te slaan naar Whipton Lane. Dan draait hij zich weer naar mij.

'Weet jij wie dat is?' vraagt hij.

'Wat... in de bestelbus?'

'Ja... ik zie hem hier steeds in de buurt. Soms rijdt hij rond, soms staat hij geparkeerd, maar ik heb nooit iemand uit zien stappen.'

'Misschien de FBI,' zeg ik. 'Misschien word je in de gaten gehouden.'

Hij moet er niet om lachen.

Ik kijk hem aan. 'Mag ik je iets vragen?'

Hij haalt zijn neus op. 'Wat?'

'Geloof jij in God?'

Hij fronst zijn voorhoofd. 'God?'

'Ja... ik bedoel, geloof jij echt dat er een of ander bovennatuurlijk wezen is dat alles geschapen heeft en alles weet en alles ziet?'

Hij haalt zijn schouders op. 'Ik weet niet... ik heb er eerlijk gezegd nooit over nagedacht.'

'Ga jij wel eens naar de kerk?'

'Ja, soms.'
'Bid je en zo?'
Hij knikt. 'Ja... ik bid elke avond voor ik naar bed ga.'
'Echt?'
'Ja.'
'Bid je tot God?'
'Ja.'
'Maar je weet niet of je wel of niet in hem gelooft?'
Hij haalt weer zijn schouders op.
'Waarvoor bid je dan?' vraag ik.
'Voor een nieuw gezicht.'

her way of praying (1)

Ik ga achterom het huis in (het steegje door, rechtsaf, nog een keer rechtsaf) en de honden rennen voor me uit en laten zichzelf de keuken in via het hondenluik in de deur. (Eigenlijk is het een kattenluik, maar het zijn honden... dus, je snapt... voor mij is het een hondenluik.) Ik loop achter ze aan de keuken in, trek mijn laarzen uit, doe mijn iPod af en pak dan een hondenhanddoek uit de hondenkast om Jezus en Maria flink droog te wrijven.

'Ben jij dat, Dawn?' roept mam vanuit de voorkamer als ik Jezus zijn oren afdroog.

'Ja,' roep ik terug. 'Ik doe even de honden.'

'Alles goed?'

'Ja. Ik kom eraan.'

'Oké.'

Nadat ik de honden heb afgedroogd, krijgen ze hun voer. Elk een halve beker Eukanuba met een beetje warm water. Ik kijk hoe ze eten. Ik ben dol op het geluid dat ze maken als ze hun eten naar binnen schrokken: het warme natte gesmak van hun bekken, het zachte geschuifel van hun propperige pootjes, het lichte metalen gerinkel als hun hondenpenning tegen de randen van de hondenbakken aan rammelt...

Ik wilde dat ik net zo kon genieten als zij.

Als ze klaar zijn, geef ik ze hun toetje (elk een Bonio) en ga dan naar de voorkamer. Mam zit als altijd in haar leunstoel naar onze kolossale plasma-tv (van 1 meter 30) te kijken. Sinds pa verdwenen is, is dat ongeveer het enige wat ze doet: zitten, uren aan een stuk, met de afstandsbediening en tv-gids binnen handbereik, en tv kijken.

Het is haar bestaan.

Dat, de drank en de pillen.

Nu pakt ze de afstandsbediening, ze drukt het geluid weg, kijkt dan om en lacht. 'Alles in orde, schat?'

'Ja hoor.' Ik kijk naar de tv. Op het scherm staat Jeremy Clarkson naast een vuurrode sportauto, met zijn stomme grote handen half in de zakken van zijn stomme spijkerbroek gepropt. '*Top Gear*?' vraag ik.

Mam knikt.

'Is het wat?'

Ze haalt haar schouders op. 'Gaat wel.'

Ze kijkt zo'n beetje overal naar. Oud, nieuw, sciencefiction, documentaires, komische tv-series, soaps, films, sport, detectives, thrillers... ik vraag me wel eens af of ze wel weet waar ze naar kijkt. Ze lijkt naar om het even wat te kijken in plaats van dat ze het volgt. En haar ogen... nou ja, haar ogen staan altijd een beetje afwezig, maar dat komt vooral door de drank.

Mijn moeder drinkt veel.

Sinds pa verdwenen is, drinkt ze praktisch de hele tijd.

(it's her way of talking to jesus)

Ze drinkt whisky en koffie. Zwarte koffie met whisky. De whisky houdt haar dronken, de koffie houdt haar wakker. Ze drinkt er sloten van, de hele dag en de hele nacht. En daar bovenop komen de voorgeschreven antidepressiepillen, af en toe een joint, en de niet voorgeschreven slaappillen (die ze via internet moet bestellen omdat haar huisarts ze niet meer wil geven). Dus is het geen wonder dat haar ogen meestal een beetje glazig staan.

Maar het is oké.

Ik bedoel, zij is oké.

We zorgen voor elkaar.

Ze functioneert.

Ze is mijn moeder.

We houden van elkaar.

'Ik kan maar beter wat boodschappen gaan halen,' zeg ik. 'We hebben niet zoveel meer.'

Ze knikt en neemt een slokje uit haar mok. 'Graag, schat.'

'Ik doe het nu maar.'

Ze glimlacht. 'Ik zal iets te eten maken. Geroosterde boterhammen oké?'

'Ja, prima.'

Boven in mams slaapkamer kniel ik naast haar bed en rol het versleten vloerkleed terug (zoals ik al zo vaak heb gedaan), haak dan mijn vinger in het vertrouwd aanvoelende knoestgat in de vloerplank daaronder, en trek die voorzichtig omhoog. Ik haal de £230 (zo ongeveer) uit mijn zak, steek mijn hand in het gat onder de vloerplanken, en rits de donkergroene weekendtas open die daar al twee jaar ligt. Ik wacht even en staar door de stoffige duisternis naar de inhoud van de weekendtas en vraag me af (zoals ik al zo vaak heb gedaan) waar het allemaal vandaan komt en wat het allemaal te betekenen heeft... en waarom en wanneer en waar en wie... en dan (zoals altijd) schud ik alleen maar mijn hoofd en probeer het van me af te zetten.

Ik stop de £230 terug in de weekendtas, rits hem dicht, leg de vloerplank en het versleten rode vloerkleed terug, en ga naar mijn kamer.

Nu zit ik achter mijn bureau en staar dof naar mijn computerscherm terwijl ik inlog op Tesco's website. Jezus en Maria liggen in hun mandjes, en 'Her Way of Praying' schalt uit mijn computerspeakers.

(she's keeping time
keeping time
with the mystery rhyme)

en ik vraag me niet meer af waar wat vandaan komt, stel mezelf geen vragen, denk niet aan mam... ik denk nergens aan, ik doe gewoon wat ik doe, boodschappen. Meestal doe ik het eens in de twee weken, maar door Kerst en Nieuwjaar en zo, is het schema een beetje in de war geraakt. Niet dat het geeft. We nemen altijd precies hetzelfde, dus het enige wat ik hoef te doen is inloggen, mijn wachtwoord geven, en de vorige bestelling herhalen. Ik bedoel, soms browse ik wat rond op de website om te kijken of er kleren zijn die ik zou willen kopen, of wat kantoorspullen of dingen voor de computer en zo. En soms vraagt mam me om een boek (ze leest alleen boeken van tv, zoals CSI-romans, of aanbevolen boeken van de boekenclub... en af en toe van Jamie Oliver (al mag God weten waarom ze die leest, omdat ze nooit kookt)). Maar meestal is het dezelfde bekende boodschappenlijst.

Maar goed, ik log dus in, geef mijn wachtwoord, kies een aflevertijd, geef de bestelling op, betaal, en log uit... en tegen de tijd dat ik klaar ben, heeft mam me een bord met hamtosti's en een glas cola gebracht, en hebben we even gepraat (over niks), en is ze terug naar beneden gegaan, naar haar leunstoel, drank en tv, en zit ik hier op bed met mijn honden en mijn tosti's, mijn cola en mijn Bijbel.

Het is 18.30 uur.

Natuurlijk ben ik helemaal niet van plan om naar het feest van Mel en Taylor te gaan, maar mócht ik gaan (wat ik niet doe), had ik nu twee uur om me aan te kleden. Maar ik ga niet, toch?

Waarom zou ik.

Ik neem een hap van een hamtosti en sla de *Geïllustreerde Kinderbijbel* open.

(hope in hope in the sky)

In de *Geïllustreerde Kinderbijbel* staat niets over de Leviet en zijn concubine, waar ik niet echt van opkijk. Ik bedoel, je wilt toch niet dat kleine kinderen dat soort dingen lezen? Ze zouden er maar een verkeerde indruk van krijgen. Dus nee, geen verkrachting of mishandeling in dit verantwoorde boek. Het enige wat ik vind op de plek waar het Leviet/concubine-verhaal zou moeten staan (d.w.z. in het boek van de Rechters) is iets over een vent die Gideon heet en een hele zooi andere mensen die proberen hem te vermoorden, en het verhaal van Samson en Delila, dat ik al ken. Er staan heel veel plaatjes in natuurlijk (omdat het een geïllustreerde Bijbel is), maar die zijn niet geweldig, en geen plaatjes van God, waar ik eigenlijk naar op zoek ben (omdat als ik weet hoe Hij eruitziet, het misschien makkelijker is om Hem te vinden en Hem te vermoorden). De meeste plaatjes vallen uiteen in twee categorieën:

Categorie Een: plaatjes van mannen met baarden, bezig met het soort dingen dat mannen met baarden doen, d.w.z.: met elkaar staan praten, op stokken leunen en ernstige gezichten trekken ergens over.

Categorie Twee: plaatjes van gedweeë en maagdelijk uitziende vrouwen met lange geborduurde jurken en sluiers, zodat je alleen hun schijnheilige gezichten en hun stomme Bambi-ogen ziet.

Maar een van de vrouwen is anders.

En dat is Eva.

Eva is heel anders.

Eva is om de een of andere reden echt sexy.

Ik bedoel, het spreekt vanzelf dat ze aan het begin van het boek naakt is, dus allicht is ze wat sexyer dan die makke vrouwen in geborduurde jurken, maar dat is het niet alleen. (En daarbij is het niet zo dat je veel van haar ziet trouwens. Het grootste deel van haar bovenste helft is bedekt door haar weelderige blonde haar, en van haar onderste helft zie je niks omdat ze achter een handig neergezet bosje struikgewas (daar bedoelen ze volgens mij verder niks mee) staat. Adam is tussen twee haakjes ook naakt. En die staat ook achter het struikgewas. Al wordt op een van de plaatjes (waar hij niet achter het struikgewas staat), vreemd genoeg zijn klokkenspel bedekt door de afhangende staart van een chimpansee die toevallig in zijn armen ligt.

Een chimpansee?

Wat krijgen we nou?)

Maar nee, het komt niet alleen doordat Eva bloot is dat ze er sexy uitziet, het is de manier waarop ze daar staat en Adam – met haar rode pruilmondje, Kate Moss-jukbeenderen en haar slaapkamerogen – een appel aanbiedt. Ik bedoel, ik weet dat het hele Adam en Eva-gedoe om verleiding en zo gaat, maar toch... ik weet niet. Het lijkt me gewoon een beetje onnodig, meer niet. Zelfs op de volgende bladzijde is Eva, nadat ze van de appel hebben gegeten en een paar kleren aan hebben getrokken, nog steeds veel sexyer dan alle andere Bijbelmeisjes. Haar jurk van dierenvel is veel korter (met een split tot aan haar middel). Haar benen zijn veel langer (alsof ze onzichtbare hoge hakken aan heeft). En (anders dan de makke, maagdelijke meisjes) heeft ze zowaar een decolleté. En ze kijkt alsof ze dat heel goed weet.

Vraag: Waarom ben je zo geobsedeerd door die stomme Eva-tekeningetjes?
Antwoord: Weet ik niet.

Maar ik vraag me af – zoals zo vaak – of die idioten die me altijd voor lesbienne uitscholden, wel zo idioot waren.

Vraag: Word je lichamelijk aangetrokken door Eva?
Antwoord: Weet ik niet.

Ik vind haar sexy, ja. Maar ik geloof niet dat ik echt iets met haar zou willen. Ik vind het gewoon leuk hoe ze eruitziet. En, trouwens, als ik wel iets met haar zou willen (wat niet zo is), zou ik niet weten waar ik moest beginnen.

Vraag: En Adam? Vind je hem er leuk uitzien?
Antwoord: Nee.

Maar dat komt gewoon omdat hij niet erg aantrekkelijk is. Zijn armen zijn te dun. Het lijkt alsof hij een valse (en rode) baard heeft. Zijn tanden zijn net pianotoetsen. Al met al ziet hij eruit als een licht gestoorde zwerver.

Vraag: Zijn er jongens die je lichamelijk wel aantrekkelijk vindt?
Antwoord: Ik ben er nog geen tegengekomen.

Maar dat wil niet zeggen dat ik lesbisch ben, toch? Het zou gewoon kunnen betekenen dat ik me lichamelijk niet door jongens of meisjes aangetrokken voel… of wel (aangetrokken voel door een van beiden of door alle twee), maar dat ik te veel in de war ben door wat er met pap is gebeurd om over mijn gevoelens na te denken of er iets mee te doen.

Vraag: Wat is er met pap gebeurd?
Antwoord: Niks… er is niks gebeurd.

darklands (1)

Er zijn niet veel dingen waar ik van hou. Ik hou van mijn moeder, van mijn honden, van The Jesus and Mary Chain. Ik hou van op bed liggen met mijn honden en luisteren naar The Jesus and Mary Chain (wat ik nu doe) terwijl mijn moeder beneden tv kijkt. Ik hou ervan om met dingen bezig te zijn die mijn gedachten afleiden van de andere Dawn. En van lijstjes maken, zoals je misschien hebt gemerkt.

Vraag: Waarom hou je van lijstjes maken?
Antwoord: Omdat:
a: Je dingen beter begrijpt als je ze onder elkaar zet.
b: Er is geen b. (Ik vond gewoon dat een lijstje maken van de redenen waarom ik van lijstjes maken hou wel gaaf was, zeg maar. Maar eigenlijk heb ik alleen die ene reden en ik weet niet zeker of je een lijstje kan maken met maar één ding. Dus deed ik er nog een bij.)

Ik weet niet waarom een lijstje van dingen makkelijker te begrijpen is dan geen lijstje, maar het is zo. En daarom moet ik de redenen waarom ik God wil vermoorden eens onder elkaar gaan zetten.

Waarom wil ik God vermoorden?

Nou, laten we eens kijken.

<u>Reden nummer een</u>: als God dood was zouden er geen christenen meer zijn. En dat zou betekenen dat er geen huis-aan-huis-geloofsverkopers meer aan de deur zouden komen, van die afschuwelijk agressieve mensen die vinden dat ze het recht hebben

om bij je aan te bellen en hun neus in je leven te steken en je te vragen wat je zoal denkt en voelt.

God wat heb ik een hekel aan die mensen.

(En als je bij Reden nummer drie komt zul je beseffen waarom – en hoe erg – ik een hekel aan ze heb.)

Ik minacht ze.

De laatste keer dat ze bij ons aan de deur kwamen, zo'n drie weken voor kerst, maakten ze mam aan het huilen. Het was rond de middag en ik had een dag vrij genomen van school omdat mam een heel slechte dag had. Die heeft ze soms – van die dagen dat ze steeds maar aan pap moet denken, dat alles haar te veel wordt... dat ze een beetje instort, zeg maar. Niet dat ik echt zo veel voor haar kan doen, maar ik probeer toch thuis te zijn als ze ze heeft, voor het geval dat, snap je...

Goed, in elk geval, toen er die dag werd aangebeld was ik met Jezus en Maria buiten in de tuin. Het had gesneeuwd en ik probeerde een sneeuwhond te maken... meer een sneeuwteckel eigenlijk, maar dat is niet zo makkelijk als het lijkt, en het zat me niet echt mee. Ik had natuurlijk mijn iPod aan, dus hoorde ik de bel niet, maar ik zag dat Jezus en Maria iets hadden gehoord en aan de manier waarop ze keffend en jankend als worstwolven op korte pootjes naar binnen stormden, wist ik dat er iemand aan de deur was. Maar tegen de tijd dat ik daar aankwam had mam jammer genoeg al opengedaan en stonden er drie christenen – twee vrouwen en een man – in de deuropening tegen haar te lachen en tegen haar aan te praten en haar, o zo vriendelijk, folders in handen te stoppen... en huilde mam. Ik bedoel, ze húílde. En toen zag ik een van de glimlachende christenvrouwen een stap naar voren doen en zachtjes haar hand op mams arm leggen en hoorde ik die afschuwelijk glimlachende vrouw iets over God zeggen en over geloof en genezen, waardoor mijn moeder nog harder moest huilen...

En toen heb ik de honden op hen af gestuurd.

Reden nummer twee: als God dood was konden de winkels zondags langer openblijven.

Reden nummer drie: als God dood was zou mijn vader nooit aan hem verslaafd zijn geraakt. En als hij nooit aan God verslaafd was geraakt was hij de weg niet kwijtgeraakt. En als hij de weg niet was kwijtgeraakt…

(as sure as life means nothing)

Mijn vader had voortdurend last van kwelgeesten. Ik weet niet waar ze vandaan kwamen, of wat voor kwelgeesten het waren, alles wat ik weet (of denk te weten) is dat er dingen in zijn hoofd (en in zijn hart) zaten waar hij niks van wilde weten en bijna altijd bezig was met proberen te vergeten dat ze daar zaten. En daarom leefde hij zoals hij deed. Ik bedoel, begrijp me niet verkeerd, het was echt een fantastische man en hij was zo dol op mij en op mijn moeder, en wij op hem, dat ik moet huilen als ik eraan denk. Hij was gewoon zo'n geweldige vader, weet je dat? Hij nam me vroeger overal mee naartoe (naar het park, de bioscoop, de bibliotheek, de dierentuin) en vertelde me altijd verhalen, maakte me aan het lachen, draaide muziek voor me, zong voor me… danste soms zelfs met me.

Ik zal nooit de dag vergeten dat hij, zo'n vijf of zes jaar geleden, mam en mij als verrassing (niet voor een verjaardag) mee naar Londen nam. Hij zei niet waar we naartoe gingen of zo, hij maakte ons gewoon heel vroeg wakker en zei dat we ons moesten aankleden omdat we allemaal een dagje uit gingen. Eerst dachten mam en ik dat hij ons gewoon mee naar het strand nam of zoiets, maar toen er een taxi voorkwam die ons naar het station reed, en we daar net op tijd kwamen om de trein naar Londen te halen (met voor ons gereserveerde eersteklas plaatsen)… nou, toen was het nogal duidelijk dat we niet gewoon naar het strand gingen. En het werd nog duidelijker toen we in Londen aankwamen en er buiten voor het station een stretchlimousine op ons stond te wachten. Ik bedoel, ik weet heus wel dat stretchlimousines tegenwoordig niet meer zo bijzonder zijn, maar het was wel supercool, en (omdat wij allemaal zo volslagen niet-cool waren) ook heel gek. En daarom lachten en giechelden we als idioten toen we achter in de limousine kropen. Binnenin was die helemaal met leer bekleed met allemaal luxe snufjes en dingetjes, en de chauffeur had een uniform aan en een pet op en terwijl hij ons door Londen reed, dronken pap en mam duur uitziende drankjes uit duur uitziende flesjes (en kreeg ik een ijskoude cola in een groot glas), en wees pap me steeds beroemde plekken aan (Buckingham Palace, de Big Ben, Trafalgar Square)… en hielden we uiteindelijk stil bij dat enorme chique hotel en deed een kerel van het hotel (ook met uniform en pet) het portier voor ons open en verwelkomde ons… en dat was ook heel gek omdat hij zo'n beetje bleef buigen en pap en mam met Sir en Madam aansprak, en ik geloof niet dat iemand ze ooit zo had behandeld. Vooral pap niet. Ik bedoel, mijn vader zag er een beetje armoedig uit, een beetje punk, een beetje hippieachtig. Je weet vast wel wat ik bedoel – schouderlang blondgeverfd haar, zwarte nagellak, floddertruien met gaten, gescheurde zwarte spijkerbroek, oorringetjes, knopjes, patchoeligeurtje – een soort bejaarde (niet dode) Kurt Cobain. Eentje die niet beroemd was en met zijn vrouw en dochter in een lullig klein huis met twee slaapkamers woonde.

Maar goed, dus ondanks mijn vaders niet beroemde armoedige uiterlijk (en mam en ik in onze gewone kleren), boog die hotelkerel ons het hotel in en stak pap hem (met een sluwe knipoog naar mij) een fooi van vijf pond toe (God mag weten waar hij tussen twee haakjes het geld voor dit alles vandaan had… al weet ik nu bijna zeker dat het van een of andere slimme deal geweest moet zijn) en toen leidde pap ons het restaurant binnen, dat ongelooflijk groot en sjiek was, en bestelden we misschien wel de duurste maaltijd ooit.

Het was fantastisch.

Pap en mam bleven de hele tijd naar elkaar lachen.

Pap bleef naar me grijnzen.

En ik zat me daar gewoon vol te stoppen en keek (met wijd open ogen) om me heen naar de rijke mensen die aan het dineren waren.

Het was geweldig.

Maar dat was nog maar het begin.

Nadat we ons wezenloos hadden gegeten, verraste pap ons weer door ons mee te nemen naar de vijftiende verdieping, naar de beste kamer van het hotel, die hij niet alleen voor die nacht had gereserveerd maar ook vol had laten zetten met allerlei ongelooflijk mooie spullen. Overal stonden grote bossen bloemen, dozen bonbons, flessen champagne, potten snoep, een paar waanzinnig mooie speelgoedbeesten, een verzameling dvd's en computerspellen... hij had zelfs een grote stapel bordspellen ergens vandaan geritseld: Monopoly, Twister, Cluedo, Risk.

Het was daarbinnen net een grot van Aladdin.

Een heel luxe grot van Aladdin.

De rest van de dag brachten we in Londen door (met onze stretchlimousine) met winkelen en toeristische attracties bekijken, toen terug naar het hotel om uit te rusten, en toen weer naar buiten, deze keer naar een ijsbaan (waar pap minstens honderd keer onderuitging), en daarna, 's avonds, bleven we gewoon op de hotelkamer games spelen en tv kijken en roomservice bestellen en dansen als gekken op suffe oude nummers en ons een deuk lachen tot we onze ogen niet meer open konden houden. En toen, ergens in de vroege ochtend, klommen we met zijn allen eindelijk slaperig in een bed zo groot als een voetbalveld en vielen we in elkaars armen in slaap.

(and heaven i think
is too close to hell)

Ja, beter dan mijn vader was er niet. Zelfs als hij op zijn ergst was, was hij nog de beste. Maar, zoals ik zei, hij had zo zijn problemen.

(take me to the dark)

Ik begrijp niet zo veel van dat soort dingen, dus is het nogal moeilijk uit te leggen, maar ik geloof dat een van paps problemen was dat hij gewoon niet volwassen wilde worden, omdat volwassen worden (voor zover ik weet) wil zeggen de werkelijkheid onder ogen zien, verantwoordelijkheid nemen, je normaal gedragen. En pap wilde dat geen van alle. Het enige wat hij wilde was lol maken, naar muziek luisteren, dronken worden, drugs gebruiken, al het slechte vergeten, net doen of alles in orde was... en ik denk dat mam daar een tijdlang niet mee zat. Ze was zelf nogal wild en punk en vond het heerlijk om, zelfs nadat ik kwam, er samen met pap op los te blijven leven. Maar op den duur begon ze het geloof ik allemaal een beetje beu te worden. Ik bedoel, ze bleef lol maken, naar muziek luisteren, dronken worden en drugs gebruiken, maar niet meer de hele tijd.

In tegenstelling tot pap.

Pap is er nooit mee opgehouden.

Zijn kwelgeesten stonden dat niet toe.

Tegen de tijd dat ik acht of negen was had hij zichzelf al niet meer onder controle. In plaats van gewoon zin hebben in drugs, had hij ze nodig. Meestal heroïne. Ik bedoel, hij nam van alles en nog wat als hij de kans kreeg, maar aan de heroïne was hij verslaafd. En toen begon hij te dealen om zijn verslaving te voeden en daardoor kwam hij in slecht gezelschap en dat zorgde ervoor dat hij een paar keer gesnapt werd en een paar maanden cel kreeg. En daar schrok hij zo van dat hij zich realiseerde waar hij mee bezig was en kreeg hij het uiteindelijk voor elkaar om van zijn heroïneverslaving af te kicken. Maar in plaats van dat hij clean bleef, begon hij gewoon als een gek te drinken, en in de paar jaar daarop werd mijn echt fantastische vader zo'n echt afschuwelijke opgeblazen alcoholist.

En toen, op een dag…

Mam en ik waren samen wezen winkelen (nou ja, wínkelen, eerder samen door de stad lopen en in etalages naar dingen kijken die we zouden willen kopen als we geld hadden), en mam was in een behoorlijk slecht humeur ergens over, wat volgens mij iets met pap te maken had, omdat ik ze de dag ervoor tegen elkaar had horen schreeuwen en haar later die nacht zachtjes in hun slaapkamer had horen huilen.

In elk geval moet het rond vieren zijn geweest toen we terugkwamen uit de stad. De novemberlucht werd al donker en er begon een koude druilerige regen te vallen. Nadat we ons van de bushalte terug naar huis hadden gehaast en de relatieve warmte van het huis in stapten was de stank van hondenpoep het eerste wat me opviel. Jezus en Maria waren toen zo'n zeven of acht maanden oud en hadden, al waren ze al aardig zindelijk, nu en dan nog wel eens een ongelukje; vooral als degene die verondersteld werd voor ze te zorgen, was vergeten ze uit te laten… wat in dit geval pap was.

Mam en ik ontdekten alle twee tegelijk de hondenpoep op het vloerkleed in de gang, zagen Jezus schuldig de keuken in sluipen en wisten alle twee wiens schuld het was.

'O, pap…' verzuchtte ik.

'John!' riep mam boos.

Er kwam geen antwoord.

Maar we wisten dat pap thuis was, omdat we stemmen hoorden uit de voorkamer, paps stem en een paar andere die ik niet kende.

Toen ik mam aankeek, sloot ze geërgerd haar ogen en schudde langzaam haar hoofd en ik wist dat we alle twee hetzelfde dachten: dat pap in de voorkamer dronken zat te worden met een stel van zijn dronken/trippende vrienden en omdat hij dronken was, Jezus en Maria totaal was vergeten.

Natuurlijk was het niet zo erg dat Jezus op de vloer had gepoept. Ik bedoel, het was geen ramp of zo. Maar dat hij het liet gebeuren en Jezus een schuldgevoel bezorgde over iets wat niet zijn schuld was... nou, dat was gewoon zo'n rotstreek van pap, zo onnadenkend en egoïstisch en stom. En wat het nog idioter maakte, was dat pap het toch al verbruid had bij mam. Daarom verbaasde het me helemaal niet dat mam de deur openduwde en met gebalde vuisten, samengeknepen ogen en op het punt in woede uit te barsten de voorkamer in struinde...

Maar het kwam niet tot een uitbarsting.

In plaats daarvan zag ik mam, terwijl ik achter haar de kamer in liep, plotseling stilstaan en 'O,' zeggen op een beetje verontschuldigende toon, alsof ze juist iets had gezien wat ze niet had verwacht en toen ik naast haar ging staan en de kamer in keek, wist ik precies hoe ze zich voelde.

Pap was dronken en hij was niet alleen, maar de mensen bij hem in de kamer leken totaal niet op de dronken/trippende mensen die we ons hadden voorgesteld. Ze waren met zijn drieën: twee mannen en een vrouw. De mannen zaten op de bank, de vrouw in de leunstoel, en pap zat met gekruiste benen op de vloer voor hen. De mannen (beiden in de twintig) hadden bleke gezichten en droegen goedkope zwarte pakken, en de vrouw (zo'n jaar of zestig) had een bruin wollen jasje aan en een lange zwarte, min of meer jasschortachtige rok. Ze zaten allemaal met bijbels in hun hand en hadden allemaal die zelfvoldane Godverkopersgrijns op hun gezicht.

Pap grijnsde ook.

En had een bijbel in zijn hand.

En zijn ogen...

Mijn god, zijn ogen.

Al waren het dezelfde bekende verwarde drankogen die ik inmiddels zo goed kende – wazig, bloeddoorlopen, gezwollen en dof – op de een of andere manier waren het niet meer zijn ogen. Het waren de ogen van iemand die denkt dat hij het antwoord op alles heeft gevonden.

Het was angstaanjagend.

Ongeveer een week daarna werd pap nuchter.

Hij stopte met drinken.

Stopte met drugs.

En begon in plaats daarvan met God.

(i'm going to the darklands)

De tijd dat pap aan God verslaafd raakte was voor mij de ergste. Alles wat hij de eerste paar weken – dag en nacht – deed, was in de voorkamer de Bijbel zitten lezen. Hij stopte met eten, ging niet meer naar buiten, waste zich niet meer, trok geen andere kleren meer aan. En hij sliep alleen als hij fysiek zijn ogen niet meer kon openhouden. Alles wat hij aan een stuk door deed, was daar zitten en als een bezetene (wat hij volgens mij ook was) elk woord van de Bijbel verslinden. Af en toe prevelde en mompelde hij in zichzelf als hij bepaalde stukken onderstreepte of piepkleine aantekeningen in de kantlijn krabbelde, maar meestal zweeg hij.

En dat was mijn vader niet.

Dat was iemand anders.

Iéts anders.

Een andere vader.

Zelfs toen hij een paar van zijn oude gewoontes weer oppakte – weer uitgaan, weer met slechte mensen omgaan... weer aan de drank – was hij toch mijn vader niet meer. Nu begon hij, zo gauw hij wakker werd, met drinken (en Bijbellezen) en klokte de rest van de fles van de vorige dag naar binnen en stopte niet met drinken (en Bijbellezen) tot hij bewusteloos raakte. Het was bijna alsof hij een soort wedergeboren alcoholist was geworden. Alsof hij had gevonden waar hij naar zocht – zijn verlossing – door weer te gaan drinken, alleen was het nu allemaal vermengd met God, als in een of andere vreselijke cocktail. En het onderdeel dat met God te maken had, brak me echt op. Ik bedoel, ik had het niet leuk gevonden toen hij alleen nog maar een junk of alcoholist was, maar toen was hij in elk geval nog mijn vader. Zelfs als hij totaal van de wereld was, had hij nog iets vaderlijks. Maar nu hij God gevonden had... leek dat al zijn vaderlijkheid op te slorpen. Het slorpte alles van hem op, zijn verstand, zijn ziel, zijn leven, zijn liefde...

Ik haatte het.

Mam haatte het.

'Het wordt zijn dood,' zei ze een keer tegen me.

En daar had ze gelijk in.

Maar het eind was nog niet in zicht...

(oh something won't let me
go to the place
where the darklands are)

Reden nummer vier: er is geen nummer vier.

head (1)

Ik zit nog steeds met Jezus en Maria op mijn bed, met mijn hoofd ver weg in gedachten over mijn vader en over God en met de overstelpende schoonheid van The Jesus and Mary Chain die somber door mijn kamer wervelt, als de honden ineens hun oren spitsen, alle twee van het bed springen en uit alle macht gaan staan keffen bij de slaapkamerdeur. Het is hun er-is-iemand-aan-de-voordeurblaf (WRAUWWRAUWWRAUWWRAUWWRAUWWRAUW), wat nogal raar is omdat de wekker op mijn nachtkastje 22:39 aangeeft… niet dat dat te laat is of zo. Ik bedoel, toen pap hier was kwamen er op elk uur van de nacht mensen langs. Maar pap is er niet meer. En mam en ik krijgen niet zoveel bezoek, vooral niet om deze tijd.

Vandaar raar.

Maar goed, tegen de tijd dat ik van het bed af ben gekomen, de muziek zachter heb gezet en Jezus en Maria eruit heb gelaten en ze in volle vaart de trap af zijn gedenderd (WRAUWWRAUW-WRAUWWRAUWWRAUWWRAUW), hoor ik mam de voordeur al opendoen en behoedzaam iemand begroeten.

'Wie is daar, mam?' roep ik, terwijl ik de trap af loop.

Ik hoor niet echt veel boven het opgewonden geblaf uit, maar wat ik kan horen klinkt niet heel erg. Ik bedoel, het klinkt niet als iemand die mam niet wil zien (sinds pap verdwenen is, is ze doodsbang voor bezoek van de politie).

'Mam?' roep ik nog eens als ik bijna onder aan de trap ben. 'Alles goed? Wie is daar?'

Wie het ook is, ze laat ze nu binnen. En Jezus en Maria blaffen niet meer, maar staan zo'n beetje in de deuropening te kronkelen en met hun staart te kwispelen, jankend en kreunend in hondse zaligheid.

'Het zijn een paar vriendinnen van jou,' zegt mam terwijl ze wankel opzij gaat en wezenloos naar me glimlacht. (Vriendinnen van mij? denk ik bij mezelf.) Ze draait zich weer om naar wie er ook voor de deur staat en nodigt ze binnen. 'Loop maar door naar binnen,' zegt ze.

En daar komen ze – een nachtmerrieachtig visioen van platte buiken, borsten en rammelende plastic tassen – Mel Monroe en Taylor Harding.

'Hé, Dawn,' grijnst Taylor. 'Hoe istie?'

(Wat?)

'Ja,' zegt Mel. 'Alles goed met je?'

Ik krijg er geen woord uit. Ik sta daar maar onder aan de trap ze stom aan te staren terwijl ze door de gang naar me toe lopen. Taylor gluurt in het voorbijgaan de voorkamer in voor een snelle inspectie en Mels ogen schieten ook min of meer heen en weer om alles in zich op te nemen. Achter hen zie ik mam de voordeur dichtdoen en me vaag goedkeurend toeknikken, alsof ze wil zeggen: goed zo, Dawn, goed om te zien dat je eindelijk wat vriendinnen hebt. En ik wil zeggen: nee, dat zijn geen vriendinnen van mij... Ik wil ze zelfs niet eens in huis hebben. Maar Taylor staat nu recht voor mijn neus en ik kan haar alleen maar aankijken en de hardheid achter haar glimlach zien.

'Zo,' zegt ze kalm. 'Zin in een borrel?'

(walk away
you empty head)

Taylor begint tegen me aan te tetteren terwijl ik hen met tegenzin mee naar boven neem naar mijn kamer. 'Het feestje is afgeblazen,' zegt ze. 'Mels moeder kwam terug, dus moesten we het afzeggen.

We vonden dat we maar beter langs konden komen om het je te laten weten, snap je? We zouden je wel gebeld hebben, maar wisten je nummer niet...'

Ik luister niet echt (al hoor ik wel genoeg om me af te vragen waarom ze weer met het verhaal komt dat het feest eigenlijk bij Mel thuis was in plaats van bij haar), van binnen besta ik eigenlijk alleen nog uit een trillend vreemdsoortig mengsel van verwarring en onwelkome nieuwsgierigheid. Ik wil helemaal niet nieuwsgierig zijn naar wat ze komen doen. Ik wil er helemaal niks van vinden. Ik wil gewoon dat ze weggaan. Alsjeblieft, wil ik zeggen, ga mijn huis uit, laat me met rust. Ik wil jullie niet hier.

Maar ik heb het lef niet om wat dan ook te zeggen.

In plaats daarvan, terwijl Taylor maar door tettert... 'en omdat we hier toch naartoe gingen, vonden we dat we net zo goed iets te drinken mee konden nemen... snap je, het is zonde om het weg te gooien...' doe ik mijn kamerdeur open en lopen ze achter me aan naar binnen.

Jezus en Maria stuiven achter hen aan en springen op het bed.

'Head' speelt nog zachtjes op mijn computer.

'Leuk,' zegt Taylor terwijl ze om zich heen kijkt naar al mijn spullen.

'Ja,' knikt Mel.

Ik weet niet of ze het menen of niet, maar het zou me niet verbazen. Ik heb best een paar mooie dingen. Zo heb ik (onder andere) een Arbico GTX PC met een flatscreen van 51 cm, een Sony Vaio Blu-ray laptop, een leuk flatscreen tv'tje van 48 cm, een 30GB iPod touch, een Samsung i320 mobieltje ... Ik heb allemaal goeie spullen. (Maar meer is het dan ook niet: spullen. En over twintig jaar is het zelfs dat niet meer. Dan is het gewoon een hoop oude troep.)

Maar goed, terwijl Taylor en Mel rondkijken naar mijn spullen, kijk ik zo'n beetje stiekem naar hen en vraag me al bijna niet meer af wat ze hier komen doen. Ze zijn er en daarmee uit. Daar doe ik het voorlopig mee. Dus sta ik gewoon een beetje naar ze te kijken, snap je? Naar hun gezicht, hun ogen, naar hun kleren...

Ik ben niet zo goed met kleren (kleren zijn voor mij gewoon kleren, gewoon iets om mijn lompheid te bedekken), maar voor zover ik kan zien, hebben Taylor en Mel hetzelfde aan als vanmiddag. Korte dingetjes, strakke dingetjes, dingetjes die hun aantrekkelijke lijf voordelig laten uitkomen. En terwijl ik naar ze kijk moet ik, tot mijn schaamte, denken aan de plaatjes van Eva in mijn *Geïllustreerde Kinderbijbel* (al denk ik niet dat Taylor en Mel ooit appels als verleidingstruc hebben gebruikt).

Door de gedachte aan Eva schiet me plotseling iets anders te binnen, en terwijl Taylor op de rand van het bed gaat zitten en Mel naar haar toe loopt om naast haar te gaan zitten, kuier ik terloops die kant op en pak (even) terloops de bijbels van het bed, en strijk tegelijkertijd vlug het dekbed een beetje glad, alsof ik niet echt iets doe, weet je... ik probeer niet iets te verbergen. Ik schaam me nergens voor. Waar zou ik me voor moeten schamen? Ik en me schamen? Nee hoor, gewoon... je weet wel, ik ruim een beetje op.

'Is dat wat je vanmiddag gekocht hebt?' vraagt Mel, terwijl ze naar de bijbels in mijn hand kijkt.

'Eh, ja...' Ik haal mijn schouders op. 'Het stelt niks voor... gewoon een project voor school.'

'Wat voor project?'

'Voor godsdienst,' zeg ik terwijl ik de bijbels in een la van mijn nachtkastje stop.

'Fuck godsdienst,' zegt Taylor. 'Zonde van je tijd.' Ze haalt een pakje sigaretten uit haar zak en kijkt me aan. 'Goed als ik opsteek?'

'Al steek je jezelf in brand,' zeg ik.

Het is een stomme opmerking – niet eens echt grappig – maar Taylor reageert niet; ze steekt gewoon op, graait in de plastic tas bij haar voeten en haalt er een halfvolle fles wodka uit. Ze draait de dop eraf, neemt een slok en biedt mij dan de fles aan.

'Wil je ook?'

'Nee, dankjewel.'

'Waarom niet?'

Ik haal alleen mijn schouders op.

Ze tilt de plastic tas op. 'Ik heb ook een fles WKD Blue als je dat liever hebt...'

'Nee. Laat maar,' zeg ik. 'Ik hoef niks, dankjewel.'

'Doe niet zo stom,' zegt ze, terwijl ze de fles wodka voor mijn neus heen en weer zwaait. 'Kom op, neem een slok... je gaat er niet dood van.'

Ik schud mijn hoofd. 'Nee, echt...'

Ze fronst haar voorhoofd. 'Wat the fuck is er mis met...?'

'Ze zei dat ze niet wil,' komt Mel ertussen en ze grist de fles uit Taylors hand. 'Als ze niet wil, wil ze niet. Oké?' Ze kijkt Taylor even indringend aan en dan – na een snelle grijns naar mij – neemt ze een flinke slok uit de fles.

Taylor schudt verdwaasd haar hoofd, alsof ze nog nooit iemand is tegengekomen die drank weigert. Ze neemt een trekje van haar sigaret en blaast de rook uit. Jezus, die naast haar zit, snuift, knippert met zijn ogen, tilt zijn kop op en niest. Maria kijkt hem verschrikt aan. Mel lacht. Taylor klemt de sigaret tussen haar lippen en wrijft Jezus speels met twee handen over zijn snuit.

Jezus kwispelt.

Ik loop naar mijn computertafel, schud een beker vol pennen leeg en geef de lege beker aan Taylor bij wijze van asbak.

Ze glimlacht zuinig. 'Ik wed dat je moeder geen nee zou zeggen.'

Ik loop naar het raam en zet het op een kier om de rook buiten te laten.

'En van hasj is ze ook niet vies, hè?' gaat Taylor door. 'Ik rook het aan haar kleren.'

'Nou en?' Ik haal weer mijn schouders op.

Als reactie haalt ze ook haar schouders op. 'Niks… ik zei het alleen maar.'

'Wat?'

'Niks.' Ze grijnst even naar me, tikt dan haar as in de beker en keert zich naar Jezus en Maria.

'Hoe heten ze?' vraagt ze.

'Sorry?'

'De honden… hoe heten ze?'

Ik doe het verhaal dat ik de honden naar The Jesus and Mary Chain heb vernoemd, dat het mijn lievelingsmuziek is, bla-bla, en zowel Taylor als Mel schijnen het echt grappig te vinden dat mijn honden Jezus en Maria heten. En het gekke is dat, terwijl ze erom zitten te giechelen en te proesten, ik merk dat ik het leuk vind dat ze erom moeten lachen. Het geeft me een goed gevoel. En zelfvertrouwen. Alsof ze van me onder de indruk zijn, en om de een of andere zielige reden krijg ik daar een kick van.

'Dus,' zegt Mel, terwijl ze een sigaret van Taylor bietst. 'Is dat wat we nu horen, die muziek bedoel ik. Is dat The Jesus and Mary dinges?'

'Chain,' zeg ik. 'Jesus and Mary Cháín. Ja…' Ik loop naar mijn bureau en zet de speakers van de computer harder. Het geluid van 'Head' gilt en jankt door de kamer.

(i think you're crawling up my spine
i think you're crawling up my spine
hey hey hey
hey hey hey
don't want you to stay
want you to stay)

'En?' vraag ik aan Taylor en Mel. 'Wat vind je?'

Mel haalt haar schouders op. 'Ja, gaat wel. Zijn ze nieuw?'

'Nieuw?'

'Ja, is het een níéuwe groep?'

'Nee... ik geloof dat ze in de jaren tachtig opkwamen...'

'Jezus,' valt Taylor uit met een misprijzend gezicht. 'Heb je niks anders?'

'Nee,' mompel ik (en ik voel het goede gevoel, mijn opgekikkerde zelfvertrouwen, inzakken).

'Heb je niet iets van Lily Allen?' vraagt Taylor, 'Of Kanye West of Mika of zo? Ik bedoel, shit...' Ze schudt haar hoofd en wuift laatdunkend naar de speakers. 'Dit is fucking niet om aan te horen.'

'Nou,' mompel ik. 'Als je het niks vindt...'

'Maar wel een mooie installatie,' gaat ze door. 'De computer bedoel ik.' Ze laat haar sigaret in de beker vallen, neemt nog een slok wodka, en geeft de fles door aan Mel. 'Zal wel een lieve duit gekost hebben,' zegt ze tegen mij.

'Wat?'

'De computer... dit hier allemaal.' Ze wuift weer met haar hand. 'En die tv die je beneden hebt staan... ik bedoel, je kan het je zeker permitteren.' Ze grijnst naar me. 'Tenzij het allemaal gejat is, natuurlijk.'

Daar zeg ik niks op, ik kijk alleen maar naar Mel (zomaar, voor zover ik weet... ik merk gewoon dat ik naar haar kijk). Ze zit met haar benen over elkaar ingetogen van de wodka te nippen en iets aan haar amandelvormige ogen – iets in de manier waarop ze naar me kijkt – geeft me een idioot verlegen gevoel. Ze heeft een laag uitgesneden kort zwart hemdje aan met voorop (in gouden letters) GLORIOUS, een heel kort, heel strak blauw spijkerbroekje, en Rocker Dogschoenen met daarop SEXY ARMY. Om haar polsen heeft ze armbanden, ringen aan bijna al haar vingers, bungelende plastic oorbellen, en rond haar hals een fijn gouden kettinkje. Ze heeft een soort van roodzwart haar dat glanst en krult en boven op haar hoofd is samengebonden, maar met een paar lange loshangende strengen. Ze heeft een mooie olijfkleurige huid, en heel kleine spierwitte tandjes.

'Wat?' zegt ze, terwijl ze haar wenkbrauwen optrekt. 'Waar kijk je naar?'

Ik schud mijn hoofd en sla mijn ogen neer.

Taylor snuift. 'Dus wat doet die ouwe van jou?'

Ik kijk haar aan.

'Sorry?'

'Je vader... wat doet hij? Waar haalt hij het geld vandaan om dit allemaal voor jou te kopen?'

Ik kijk even naar Mel. Die zit nog steeds rustig haar sigaret te roken en me met die amandelvormige ogen aan te kijken. Ik keer me weer naar Taylor. 'Mijn vader is er niet meer,' zeg ik.

'Wat bedoel je?' vraagt ze. 'Zijn je ouders uit elkaar?'

'Nee... mijn vader is gewoon... hij is verdwenen.'

'Verdwenen?'

'Ja...'

Ik wil het hier eigenlijk niet over hebben. Het zijn mijn zaken, die van mam... die van ons. En van niemand anders. We hebben het er zelf niet eens over.

Het is te moeilijk.

Te pijnlijk, te ingewikkeld.

'Wat bedoel je, verdwenen?' vraagt Taylor, met grote ogen naar voren buigend en een en al interesse. 'Is hij er gewoon vandoor of zo?'

'Ja,' zeg ik met een zucht. 'Zoiets... ik bedoel, hij ging gewoon... hij ging op een avond de deur uit en kwam nooit meer terug.'

'Wanneer was dat?'

'Een paar jaar geleden.'

'En heb je sindsdien niets meer van hem gehoord?'

'Nee.'

'No shit,' zegt ze met een zijdelingse blik naar Mel. 'Wat een fucker, hè?'

Mel knikt, terwijl ze me aan blijft kijken. 'Wat denk je dat er met hem gebeurd is, Dawn? Denk je dat hij er gewoon vandoor is of zo? Ik bedoel, was hij... had hij iemand anders of zo, zeg maar?'

Ik haal mijn schouders op. 'Weet ik niet.'

'Wat deed je moeder? Toen hij vertrok, bedoel ik... is ze hem gaan zoeken?'

'Allicht. Ze wist niet waar hij naartoe was... ze was doodongerust. Ze heeft overal gezocht, iedereen opgebeld die ze kende... ze heeft op het laatst zelfs de politie gebeld.'

'Waarom?' vraagt Taylor.

Ik kijk haar vuil aan. 'Waarom denk je? Niemand wist waar hij was. Hij kon wel een ongeluk hebben gehad, of zoiets, of misschien had iemand hem...'

'Had hem misschien wat?' vraagt Taylor.

Ik haal weer mijn schouders op. 'Weet ik het... misschien had hij met iemand problemen gekregen.'

'Wat voor problemen?'

Nu word ik het echt spuugzat. Al die vragen... ik bedoel, waarom willen ze dat allemaal over mijn vader weten? Wat moeten ze van me?

(i think you're crawling up my spine)

Ik kijk naar Mel

(want you to stay)

en dan naar Taylor

(don't want you to stay)

en Taylor zegt: 'Voerde hij iets in zijn schild?'

'In zijn schild?'

'Ja,' ze grijnst en tikt tegen de zijkant van haar neus. 'Je weet wel... iets in zijn schild voeren.'

'Zoals?'

'Dat mag jij zeggen.'

Ik kijk haar aan, plotseling doodziek van alles aan haar: haar langwerpige gezicht, haar blondie-blonderige haar, haar stomme rode lippen, haar veel te blauwe ogen met die opzichtige wimpers. Haar stem begint me trouwens ook op mijn zenuwen te werken. Ze praat als een meeuw met een gemene hoest: ka ka kaka ka.

'Wat is er?' vraagt ze nu (wakka?).

'Is er iets met je of zo?' (sakka ka ka?)

'Ja,' zeg ik, terwijl ik haar aan blijf kijken. 'Er is iets.'

'O ja?'

Ik sta waarschijnlijk op het punt om weer 'Ja,' te zeggen, maar voor ik de kans krijg, geeft Mel Taylor een scherp duwtje met haar elleboog en zegt: 'Kappen, Tay.'

'Ik wil alleen maar...' begint Taylor.

'Ja, weet ik,' zegt Mel, haar in de rede vallend. 'Heb je een sigaret?'

Taylor kijkt even nijdig, maar haalt dan alleen haar schouders op gooit haar pakje naar Mel. Mel vangt het, haalt er een uit en steekt hem op.

'Ik moet even piesen,' zegt Taylor tegen mij en ze komt overeind. 'Waar is de wc?'

'Beneden, aan het eind van de gang rechts.'

Ze loopt de kamer uit terwijl ze met haar duim haar behabandje goed doet, en een paar seconden later wippen Jezus en Maria van het bed en lopen achter haar aan de trap af. Even vraag ik me af of ik haar achterna moet roepen: 'Trek je niks aan van de honden, Taylor, ze lopen niet achter jou aan, ze moeten gewoon naar buiten voor een plas. Je hoeft niks te doen, ze laten zichzelf uit door het hondenluik in de achterdeur.' Maar tegen de tijd dat ik erover na heb gedacht is Taylor al beneden en waarschijnlijk geeft ze sowieso geen moer om die honden...

Dus ben ik nu alleen met Mel

(i think you're crawling up my spine)

en even hangt er een vreemd onhandige stilte tussen ons. Het soort stilte dat je krijgt als je alleen met iemand achterblijft die je een stom verlegen gevoel geeft. We zitten daar maar met zijn tweeën (ik aan mijn bureau, Mel op het bed) en weten niet echt wat we moeten doen (al ben ik waarschijnlijk de enige die niet weet wat ze moet doen). En de stilte groeit en groeit...

Tot Mel uiteindelijk een trek van haar sigaret neemt en zegt: 'Maak je niet druk om Taylor. Ze bedoelt er niks mee. Ze is gewoon...'

'Gewoon wat?'

Mel glimlacht. 'Gewoon Taylor.'

Ik weet niet precies wat dat wil zeggen, maar ik lach en knik alsof ik het wel weet.

Mel leunt achterover en wrijft over haar nek. 'Zo,' zegt ze, 'dat project waar je mee bezig bent, dat gedoe met die bijbels... waar gaat dat over?'

Project? Ik moet even nadenken. Welk project? En dan besef ik waar ze het over heeft en moet ik snel een antwoord bedenken. 'O ja, het project. Ja... nou, het stelt eigenlijk niks voor, gewoon iets over God, je weet wel... het Oude Testament en zo. Ik ben er nog niet echt aan begonnen.'

Mel knikt. 'Wat vind je ervan? Ik bedoel, van al dat godsdienstige gedoe... God en Jezus, priesters en dominees en dat allemaal?'

Ik kijk haar aan en besef plotseling dat ik in mijn kamer met Mel Monroe over God zit te praten.

Vraag: Hoe onwaarschijnlijk is dat?
Antwoord: Heel onwaarschijnlijk.

'Mijn broer...' zegt Mel heel zachtjes.
'Wat?'
Ze schudt haar hoofd. 'Niks.'
'Ik wist niet dat je een broer had.'
'Heb ik ook niet.'
Ik kijk haar aan, niet zeker waar ze op doelt. Ze zegt een tijdje niks, maar zit daar maar niets ziend naar de vloer te staren, alsof ze volslagen in haar eentje is... en dan, ineens, rilt ze, een snel voorbijgaand schokje van haar lijf, en dat lijkt haar wakker te schudden (uit wat dan ook). Ze neemt een lange trek van haar sigaret en blaast de rook met een zucht uit.
'Nou ja,' zegt ze, met een stem die plotseling heel kil klinkt. 'Zou je die muziek nu af willen zetten? Ik krijg er echt jeuk van aan mijn tieten.'
Ik haal mijn schouders op: 'Oké,' en druk op STOP.
Het wordt stil in de kamer.
Geen muziek, geen soundtrack.
Ik hoor het zwakke geluid van de tv beneden.
Stemmen.
Een deur die opengaat, dichtgaat.
Ik kijk naar de klok: 23:42.
Taylor en Mel zitten hier al meer dan een uur.
'Is alles goed met je moeder?' vraagt Mel.
'Ja... waarom zou het niet goed met haar zijn?'
Mel haalt haar schouders op. 'Ik vroeg het alleen maar.'
'O, nou...'

En dat lijkt voorlopig het eind van ons gesprek. Mel zit daar maar met haar benen over elkaar te roken en met haar voet op en neer te wippen. En ik zit daar in de vreemd aandoende stilte me dingen af te vragen.

Waarom blijft Taylor zo lang weg?

Wat bedoelde Mel met haar broer?

En hoe komt het dat ze van Bijna Heel Aardig naar Absoluut Onaardig omzwaait.

En wat bedoelde Taylor over mijn vader? (Wat een fucker, hè? Voerde hij iets in zijn schild?)

(Ik heet Dawn.

Ik ben dertien jaar.

Ik heet Dawn.

Ik wil er niet aan denken.)

'Alles oké?'

Ik doe mijn ogen open en kijk Mel aan. 'Wat?'

'Je deed even een beetje raar...'

'Raar?'

'Ik dacht dat je in slaap was gevallen.'

'Wat is daar zo raar aan?'

Ze fronst haar voorhoofd. 'Niks. Ik bedoelde alleen maar...'

Ze zwijgt als Taylor terug de kamer in marcheert.

'Oké?' vraagt ze.

Mel knikt.

Jezus en Maria waggelen naar binnen en springen op bed.

Taylor grijnst naar me. 'Kijkt je moeder altijd naar late horrorfilms? Ik bedoel, ze zit beneden godallemachtig naar *Creepshow 2* te kijken.'

'Nou en?' zeg ik.

Taylor haalt haar schouders op en kijkt naar Mel. 'Zullen we?'

Mel knikt weer en komt overeind.

Taylor keert zich weer naar mij. 'Oké, tot ziens dan maar?'

'Ja,' zeg ik (al weet ik niet precies wat ze bedoelt. Bedoelt ze echt tot ziens? Of zegt ze alleen maar gedag?)

Terwijl Mel de honden ten afscheid over hun kop krabbelt, sta ik op vanachter mijn bureau en loop naar de deur. Taylor pakt de fles met wodka en stopt hem terug in de plastic tas – kloink – en Mel kijkt nog even de kamer rond om te zien of ze niks vergeten is. En dan deinen ze alle twee gewoon de deur uit.

Ik loop achter hen aan.

De trap af.

De gang door.

De deur naar de voorkamer is dicht, maar Taylor roept onder het langslopen evengoed: 'Tot ziens, mevrouw B.' Dan zijn we bij de voordeur, en bedenk ik dat ik maar beter keurig beleefd de deur voor hen kan opendoen, maar Taylor heeft de klink al vast en doet hem open (alsof ze het al ik weet niet hoeveel keer eerder heeft gedaan).

Een koude regenvlaag sliert naar binnen, zilver en oranje in het duister van de verlichte straat, en ergens verderop hoor ik een auto starten en wegrijden.

'Tot later dan maar,' zegt Taylor, terwijl ze het donker in stapt.

Mel zegt niks, lacht alleen een beetje typisch naar me.

En dan zijn ze alle twee weg en klakken dicht tegen elkaar aan het verregende trottoir over, terwijl hun stemmen oplossen in de nacht.

(walk away
you empty head)

Als ik de voorkamer in loop is mam ver heen. Haar ogen zijn half dicht, haar hoofd is omlaag gezonken op haar borst en de sigaret in haar hand is tot op de filter opgebrand. Terwijl ik de askegel uit haar hand neem en hem in de asbak laat vallen, tilt ze haar hoofd op en probeert te focussen terwijl ze onzeker lacht.

'Alles oké?' vraag ik en ik ga op de armleuning van haar stoel zitten.

Ze knikt.

Ik werp een blik op de tv. *Creepshow 2* is zeker afgelopen, of misschien kreeg mam er gewoon genoeg van, omdat ze nu naar een van die programma's zit te kijken waar de politie met de camera in de aanslag auto's achtervolgt. Het geluid staat uit. Er is een achtervolging met een infrarood camera aan de gang, gefilmd vanuit een helikopter, twee witte vlekken die zich door een grijze waas spoeden.

'Heeft Taylor iets tegen je gezegd toen ze hier beneden was?' vraag ik.

'Hmm...?' mompelt ze, naar de tv kijkend.

'Taylor... die blonde. Is ze hier binnen geweest en heeft ze iets tegen je gezegd?'

'Taylor?'

'Ja, dat blonde meisje.'

Mam knikt (om bijna meteen nee te schudden). 'Ja, nee... nee, ze zei niet zoveel. Gewoon hallo, je weet wel... ze lijkt me wel aardig. Zei dat ze de tv mooi vond.'

'De tv?'

'Ja, mooie tv... dat zei ze. Mooie tv.'

'Oké...' Ik wacht even en kijk afwezig naar nog een autoachtervolging op het scherm (nu gefilmd vanuit de achtervolgende politieauto), dan keer ik me weer naar mam en zeg: 'Ze heeft je dus niks over pap gevraagd?'

Mam verstijft. 'Hoezo?'

'Zomaar... Taylor was alleen nogal nieuwsgierig. Ze vroeg allerlei dingen over pap en zo. Ik wilde alleen even zeker weten of ze jou niet had lastiggevallen.'

Met enige moeite gaat mam rechtop zitten en kijkt me aan. 'Wat voor vragen?'

Ik haal mijn schouders op. 'Gewoon, vragen, je weet wel... wat hij doet en zo, dat soort dingen.'

'Wat hij dóét?'

'Niks om je ongerust over te maken, mam... gewoon dingen die mensen van je willen weten. Je weet wel: mijn vader werkt voor die en die, wat doet jouw vader?'

Mam fronst haar voorhoofd. 'Wie is die en die?'

'Niemand. Gewoon... ik probeer alleen maar uit te leggen wat ik bedoel.' Ik leg mijn hand op haar schouder en lach. 'Niks aan de hand, mam. Echt niet... het is niet belangrijk. Vergeet het maar.'

Ze knippert met haar ogen, doet moeite om me scherp te blijven zien en probeert te glimlachen, maar ze is te dronken, te ver heen, te veel in de war en verdrietig. Ik buig voorover en geef haar een kus boven op haar hoofd. Haar haar ruikt naar kersen en sigarettenrook.

'Kom op,' zeg ik. 'Naar bed met jou.'

inside me (3)

Twee jaar is lang. Twee jaar is niks. Lang genoeg om de spelonk in je hoofd zo klein te laten worden dat je adem als steen aanvoelt in je keel, maar bij lange na niet lang genoeg om te vergeten wie je bent.

(i've seen my time away)

De laatste keer dat ik mijn vader heb gezien was op een besneeuw-de decemberochtend iets meer dan twee jaar geleden.

(it's living inside me)

Ik ben in de voorkamer bezig een kerstcadeau in te pakken voor mam, en Jezus en Maria zitten naast me op de vloer, met hun ogen gespannen op de doos in mijn hand gericht. In de doos zit zo'n busje dat kan loeien. Je weet wel, zo'n rond busje met gaatjes bovenin dat als je het omdraait een loeiend geluid laat horen. Dat vinden Jezus en Maria fascinerend, en fascinerend wil voor hen zeggen waard om je tanden in te zetten, dus probeer ik het koeienbusje in te pakken zonder het om te draaien, zodat ze het geloei niet horen.

Mam is gaan winkelen.

Ik hoor pap de trap afkomen – kuch kuch, slof slof, kuch kuch – en nu voel ik mezelf in tweeën splitsen. Ik ben nu twee personen. Ik en ik. Twee ikken. En terwijl míjn hart sneller klopt, en míjn keel dicht gaat zitten en míjn handen beginnen te trillen van angst, voel ik mijn andere ik wegduiken in haar veilige spelonk.

Ik heet Dawn.
Ik heb buikpijn.
Ik heet Dawn.
Ik kan me niet verroeren.

Ik kan hier alleen maar zitten en luisteren naar het geluid van paps katerachtige voetstappen die de trap af komen... het geluid van zijn onzekere voeten, terwijl hij zich met zijn bevende hand aan de leuning vasthoudt, zijn bloeddoorlopen ogen, zijn ongeschoren gezicht, zijn zure adem, zijn hopeloosheid...

Zijn vreselijke schaamte.

Hij zal niks meer tegen me zeggen.

Hij zal niet binnenkomen en lachen en vragen wat ik aan het doen ben. Zijn ogen zullen niet oplichten als ik hem het koeienbusje laat zien. Hij zal Jezus niet met zijn ene en Maria met zijn andere hand oppakken, ze tot bij zijn gezicht tillen en in hun snoet blazen. Hij zal niet eens dag roepen.

Hij zal helemaal niets doen.

Niet meer.

'Pap!' roep ik, terwijl ik overeind probeer te komen. 'Pap!'

Maar mijn benen slapen omdat ik te lang op de vloer heb gezeten en het duurt even voor ik op kan staan zonder om te vallen en tegen de tijd dat ik de kamer door ben, de deur open heb en de gang in ben gelopen, is pap al bijna de voordeur uit.

'Pap!' gil ik nog eens.

En één seconde aarzelt hij.

Een halve seconde.

En in die halve seconde zie ik (voor altijd) een ineengedoken en ongewassen figuur in een gerafelde oude duffeljas. Ik zie een uitgemergeld hoofd weggestopt in de plooien van een capuchon, een glimp van een vergeelde huid, een donkere flits van wanhopige ogen, en dan, zonder een woord, is hij weg.

Pap kwam die avond niet thuis en de volgende avond ook niet. Mam zat er niet echt over in. Dit was niet de eerste keer dat hij een paar dagen wegbleef en altijd was hij teruggekomen. Dan was hij op stap om zich ergens een stuk in zijn kraag te drinken, meer niet. Zich een stuk in zijn kraag drinken, zijn roes uitslapen, weer dronken worden, roes uitslapen...

Als zijn geld op was kwam hij terug.

Maar twee dagen werden drie dagen.

En van drie werden het er vier.

En toen werd mam wel ongerust.

Ze belde al zijn vrienden (of zijn 'zogenaamde vrienden' zoals ze die hardnekkig blijft noemen), maar niemand leek hem de laatste tijd te hebben gezien. En omdat de meesten van zijn kennissen net zo in de kreukels lagen als hijzelf en ook constant bezopen waren, konden de meesten zich ook niet herinneren waar of wanneer ze hem voor het laatst hadden gezien. En als ze het zich al konden herinneren, waren ze zo junkieachtig paranoïde om de waarheid te zeggen dat het nauwelijks de moeite loonde om ze ook maar iets te vragen. Ik bedoel, als je aan dat soort mensen vraagt welke dag het is, liegen ze tegen je. En dan had je nog die andere lui waar pap soms mee omging, de echte boosdoeners: drugsdealers, leveranciers, dieven, gangsters, schurken. Het soort mensen dat nooit ergens hun mond over opendoet.

Mam probeerde het overal, maar zonder succes.

Niemand had pap gezien. Niemand wist waar hij was. Niemand wist iets.

Mam informeerde bij het ziekenhuis... niets.

Ze ging hem zoeken, sjouwde de stad door, ging alle clubs, cafés en bars af, liet zijn foto aan mensen zien, praatte met barpersoneel en uitsmijters en met iedereen die wilde luisteren...

Niets.

Veel van hen kenden pap, ze wisten wie hij was, ze hadden hem wel eens gezien... maar niet de laatste tijd. Niet vorige week bijvoorbeeld.

Het leek of pap gewoon in rook was opgegaan.

Vandaar dat mam uiteindelijk – en volslagen tegen al haar gevoel in – naar het politiebureau ging en hem als vermist opgaf. Ik ging natuurlijk met haar mee en was verbaasd dat de politie ons eigenlijk heel serieus nam. Ze noteerden al paps gegevens op een speciaal formulier, met daarbij een nauwkeurig signalement, alle bijzondere omstandigheden die tot zijn verdwijning hadden geleid (niet één, volgens mam), en zijn huidige geestestoestand (alcoholisch). Ze vroegen ook om een recente foto, die mam had vergeten mee te nemen. Maar dat was niet erg vonden ze, ze zouden iemand sturen om die op te halen als ze langs zouden komen om ons huis te doorzoeken.

'Ons huis doorzoeken?' vroeg mam verbaasd. 'Waarom willen jullie ons huis doorzoeken?'

'Gewoon een kwestie van routine, mevrouw Bundy,' legde de agent uit. 'U zou verbaasd staan hoeveel zogenaamd vermiste personen veilig en wel in hun eigen huis opduiken.'

'Maar hij is niet thuis,' zei mam. 'Ik weet dat hij niet...'

'Dat begrijp ik, mevrouw Bundy,' zei de agent. 'Maar zoals ik zei, gewoon een kwestie van routine.'

'Oké...' zei mam aarzelend. 'Dus wanneer komen jullie dat dan doen?'

'Hoe eerder hoe beter. Wat dacht u van morgenochtend?'

Sinds die tijd ben ik veel te weten gekomen. Ik weet bijvoorbeeld dat als je iemand als vermist opgeeft, en het gaat om een volwassene, en de politie hem (of haar) uiteindelijk vindt, maar hij (of zij) wil niet dat bekend wordt waar hij (of zij) zit, de politie die wensen moet respecteren; m.a.w. als je als volwassene van huis wegloopt, kan niemand je dwingen terug te gaan. Ik ben er ook achter gekomen dat al neemt de politie elke aangifte van een vermist persoon serieus, ze sommige serieuzer nemen dan andere. Natuurlijk die van kinderen bijvoorbeeld, vooral van heel jonge kinderen. Van kwetsbare mensen (wat dat ook moge betekenen). Van oude mensen. Wat allemaal logisch is. Maar dat betekent min of meer ook dat als je vader vermist wordt, en hij stelt niet zoveel voor – hij is een zuiplap, een ex-junkie, hij heeft gezeten – nou dan gaat de politie er niet veel tijd in steken om hem te zoeken. Ik bedoel, ze gaan Sherlock Holmes niet op de zaak zetten, hè?

Nee dus.

Ze gaan eigenlijk helemaal niet zoveel doen.

Nog iets wat ik te weten ben gekomen is dat mam veel meer van paps linke zaakjes af wist dan ik dacht. Daarom zat ze er zo over in toen ze erachter kwam dat de politie ons huis ging doorzoeken. Voornamelijk omdat er allerlei spullen in ons huis verstopt zaten waarvan ze niet wilde dat de politie die zou vinden: drugs, pillen, gesmokkelde drank en sigaretten, gestolen iPods, mobiele telefoons, creditcards, gympen, T-shirts...

En terwijl ze het huis naar al die spullen afspeurde en het allemaal uit de weg probeerde te ruimen voor de politie langs zou komen... ontdekte ze de weekendtas. Hij zat verstopt onder paps en mams bed. Een donkergroene weekendtas.

'Wat is dat?' vroeg ik, toen mam hem tevoorschijn trok.

Ze schudde haar hoofd met een verbluft gezicht. 'Geen idee. Nooit gezien.'

'Is hij van pap?'

'Ik weet het niet.'

Ze lag op haar knieën naast het bed en ik zat op het bed en keek op haar neer. Ze keek me even aan, en toen weer naar de weekendtas en ritste hem open.

'Jezus,' fluisterde ze.

something's wrong (1)

Wat het geld betreft weten we nog altijd niets. We weten nog altijd niet waar pap het vandaan had, of waarom hij het hier heeft achtergelaten. We weten niet of hij het voor ons heeft achtergelaten (wat zou betekenen dat hij wist dat hij niet terug zou komen), of dat hij het hier gewoon voor de veiligheid heeft achtergelaten, om het ooit later op te halen…

We weten het gewoon niet.

Het enige wat we wel weten is…

Dat het geld nu van ons is.

£183.480 aan contanten.

In het begin toen we de weekendtas vonden en het geld telden, kwam het op £222.560. Maar dat was twee jaar geleden en sinds die tijd hebben we er wat van uitgegeven. Ik bedoel, we zijn niet als gekken tekeergegaan of zo, maar wat we wilden, hebben we aangeschaft: tv's, pc's, laptops, enz. – en nu gebruiken we het meestal gewoon om van te leven. Als we het niet zouden hebben, zouden we waarschijnlijk ook wel rondkomen. Maar rondkomen zou betekenen dat we van mams arbeidsongeschiktheidsuitkering (onder valse voorwendselen aangevraagd) zouden leven, en ik vind (wel of niet terecht) dat we alle twee genoeg te verstouwen hebben zonder voortdurend op de centen te moeten letten.

En bovendien…

Het is ons geld.

Het mag ons dan geen beter gevoel over dingen geven, het is een stuk makkelijker om je met een flink pak geld onder de vloer ergens slecht over te voelen dan zonder.

Vraag: En het pistool? Heb je het pistool gehouden?
Antwoord: Ja.
Vraag: Waarom?
Antwoord: Nergens om, eigenlijk. Het is makkelijker om het te houden dan om het kwijt te raken.

deep one perfect morning (1)

Oké, het is nu woensdagochtend tien uur (de ochtend nadat Taylor en Mel langs zijn geweest) en ik ben met Jezus en Maria buiten in de achtertuin. Het is een heel mooie dag – nogal koud en winderig, maar met heldere lucht – en de honden halen eruit wat erin zit. Ze dribbelen opgewonden snuffelend in kringetjes rond, en snuiven verhalen op uit de wind. En ik sta gewoon met een hoofd vol muziek naar de honden te kijken, lach ze toe, vraag me af wat ze ruiken en of ze weten wat het is en of ze dat wat kan schelen... en besluit om mee te doen met hun gesnuif. Dus til ik mijn hoofd naar de lucht, haal diep adem door mijn neus en zuig mijn longen vol... maar ik snuif te hard, krijg een beetje snot in mijn keel en sta vervolgens dubbelgeklapt, met mijn handen tegen de muur, te hoesten en te kokhalzen en klodders slijm en snot te spugen...

En daar op het pad bij mijn voeten, op de plek waar ik sta te braken, liggen drie lege slakkenhuizen.

Drie kapotte huizen, slordig op een rijtje.

Elk van die huizen beschilderd met een verbleekte lichtgevende letter.

Van links naar rechts staat er: *O*, *D*, *G*.

(In het *D*-huis zit een gat (waarschijnlijk door een merel uitgepikt)) en de onderkant van de *D* is verdwenen, dus het zou ook een *B* kunnen zijn... maar ik weet bijna zeker van niet.

'Hè?' hoor ik mezelf zeggen.

Ik buk om beter te kijken. En ja hoor, het zijn absoluut dezelfde slakkenhuizen die ik afgelopen zomer heb beschilderd (ik herken de penseelstreek). En ja hoor, de *D* is absoluut een *D*. En... hè? Wat doen die hier? Hoe zijn die hier gekomen? Waar zijn ze al die tijd geweest? Waarom zijn die vandaag plotseling tevoorschijn gekomen?

Wat is er verdomme aan de hand?

ODG?

Is het een boodschap?

O. Dee. Gee.

Van wie?

Odegee.

Ik hurk neer op het gebarsten betonnen tegelpad, met de koude wind in mijn nek, en alleen die drie verbleekte letters in mijn hoofd – *ODG* – en de zes mogelijke manieren waarop je ze zou kunnen rangschikken: *ODG*, *DGO*, *GDO*, *DOG*, *OGD* en *GOD*.

De laatste – *GOD* – is natuurlijk de meest enge. En daar wil ik niet eens over denken. Ik wil niet denken dat God me misschien een boodschap stuurt... dat hij misschien weet dat ik hem probeer te vermoorden, dat hij misschien zijn almacht gebruikt om me een goddelijke waarschuwing te sturen, een teken van boven... of zou Klodder er iets mee te maken hebben?

Nee, dat gaat te ver.

Dus denk ik in plaats daarvan over de andere lettercombinaties.

DGO, *GDO* en *OGD* zeggen me (volgens mij) helemaal niks.

En DOG...? Hond?

Ik denk aan mijn honden en vraag me af of de slakkenhuizen iets met hen te maken zouden kunnen hebben. Ik kom stijf overeind en roep: 'Hier komen, honden! Hé! Jebus... Maria! HIER!'

Ze negeren me.

Ik zet mijn handen aan mijn mond en schreeuw nog eens, maar nu veel harder: 'JEBUS! MARIA! HIER! NU!'

Dat werkt. Ze stoppen met hun winddolle rondjes, komen alle twee op me af draven en kijken een beetje behoedzaam – kop omlaag, schaapachtig kwispelende staarten – maar zo gauw ik weer

'Brave jongen, brave meid,' tegen ze zeg, gaan hun koppen omhoog en weten ze dat ik niet kwaad ben.

'Wat is dit?' zeg ik opgewekt, terwijl ik weer neerhurk en naar de slakkenhuizen wijs. 'Kom dan, kom maar kijken...'

Jezus is dapperder dan Maria, dus gaat hij eerst; hij trippelt naar de slakkenhuizen toe, rekt zijn hals, snuffelt voorzichtig... en twee tellen later, als hem niets overkomen is, snuffelt Maria ook mee. En aan hun behoedzaamheid en hun duidelijk niet schuldbewuste snuit merk ik dat ze niets met de slakkenhuizen te maken hebben. Nee, Jezus en Maria hebben de slakkenhuizen niet opgegraven (uit een of andere hondachtige geheime schuilplaats) en ze op het pad voor me neergelegd. Ze hebben niet geprobeerd mijn verstand te benevelen door het woord DOG verkeerd te spellen op het pad.

En ik schaam me een beetje (en vind mezelf stom) dat het zelfs maar in me opgekomen is.

Dus om mezelf een beter gevoel te geven steek ik mijn hand uit om Maria op haar kop te krabben, maar ze is zo gespannen aan het snuffelen dat ze schrikt van de plotselinge aanraking van mijn hand. En terwijl ze opzij wegschiet, trapt ze op een van de huizen en vermorzelt die op het beton, en haar achterpoot slaat tegen de andere twee huizen waardoor die over het pad tuimelen. Dus zijn er nu nog maar twee hele slakkenhuizen over en in plaats van ODG staat er nu GO.

Dus doe ik dat.

Ik denk niet echt dat Klodder iets met de slakkenhuizen te maken heeft, maar ergens wil ik het zeker weten (en ik was sowieso van plan de straat op te gaan, dus is het niet alsof ik een speciale reis moet ondernemen om bij hem langs te gaan of zo). Als ik naar zijn huis loop met mijn iPod op en met Jezus en Maria (beide met hun jas aan) rond mijn voeten, zie ik de blauwe bestelbus met *Meubel-Super* op de zijkant, wegrijden van het trottoir in de richting van

Whipton Lane. De motor kucht en sputtert en de uitlaat braakt zwarte rookwolken uit. Ik kijk er even naar en herinner me Klodders nieuwsgierigheid van gisteren, en een paar paranoïde seconden lang vraag ik me af of de bestelbus er iets mee te maken heeft, d.w.z. met de slakkenhuizen, het Godsgedoe, dat met Taylor en Mel…

Natuurlijk weet ik diep vanbinnen dat er geen enkel verband is tussen die dingen, dat de blauwe bestelbus gewoon een blauwe bestelbus is, dat Taylor en Mel me gewoon belazeren en dat het plotseling opduiken van de slakkenhuizen gewoon volkomen toevallig is… je weet wel, zo'n idiote toevallige samenloop van omstandigheden die zo ongelooflijk onwaarschijnlijk lijkt dat het ongelooflijk makkelijk is om te denken dat ze níét toevallig zijn, dat ze iets móéten betekenen, dat iets (of iemand) erachter moet zitten. Maar, zoals iemand ooit heeft gezegd (ik weet niet meer wie): 'Ja, er gebeuren rare dingen. Maar de wereld is groot, er gebeurt van alles, het zou raar zijn als er af en toe géén rare dingen zouden gebeuren.'

En, trouwens, ik weet dat God me niet de stuipen op het lijf jaagt omdat ik hem probeer te vermoorden. Omdat:

(I) hij niet bestaat

(II) en zelfs als hij wel zou bestaan (wat niet zo is), en me de stuipen op het lijf zou jagen (wat hij niet doet), waarom zou hij dat dan met slakkenhuizen doen? Waarom niet met een bliksemschicht of een plaag op me af sturen, of vleermuizen, of zo? En waarom, als hij wel slakkenhuizen zou gebruiken om me een boodschap te sturen, waarom legde hij de letters dan in de verkeerde volgorde? Ik bedoel, hij is toch God? Als hij een heel universum in zeven dagen kan scheppen, moet het voor hem toch niet zo moeilijk zijn om drie waardeloze slakkenhuizen in de goede volgorde te leggen?

'Wat vind jij, Jeeb?' vraag ik aan Jezus.

Hij kijkt naar me omhoog met zijn hondengrijns.

En ik neem zijn tevreden stilzwijgen voor instemming aan.

Als ik bij Klodders huis kom, zit Klodder als altijd in zijn parka op de stoep voor zijn huis en kijkt naar alles wat langskomt. Zijn geboortevlek is vandaag wel heel paars.

'Hallo,' zeg ik, terwijl ik mijn iPod afzet.

'Hallo, Dawn,' zegt hij. 'Alles goed?'

'Ja.'

Hij draait zich om en lacht naar Jezus en Maria. 'Leuke jassen,' zegt hij.

Jezus en Maria kwispelen instemmend.

Klodder kijkt weer naar mij. 'Waar ga je naartoe?'

Ik haal mijn schouders op. 'Nergens naartoe eigenlijk. Ik zwerf een beetje rond, je weet wel...'

Hij knikt.

Ik glimlach naar hem en probeer te bedenken hoe ik over de slakken moet beginnen. Dat is nog niet zo makkelijk. Ik bedoel, hoe vraag je aan een jongen van elf met een halfpaars gezicht of hij stiekem je beschilderde slakkenhuizen heeft verzameld, ze maanden heeft bewaard en ze dan terug in je tuin heeft gezet? Hoe pak je dat aan zonder dat hij denkt dat ik ze zie vliegen? Of zonder dat hij denkt dat ik denk dat hij ze ziet vliegen?

Dat doe je door tegen hem te liegen.

'Die bestelbus, hè?' zeg ik.

'Welke bestelbus?'

'Die blauwe. Je weet wel, die we gisteren zagen. Jij zei dat je hem de hele tijd in de buurt ziet, maar dat je nooit iemand hebt zien uitstappen.'

'O ja,' zegt hij knikkend. 'De *MeubelSuper*-bestelbus. Een paar minuten geleden is hij weggereden.' Hij kijkt me aan. 'Wat is daarmee?'

'Ik weet het niet zeker,' zeg ik, terwijl ik mijn stem laat dalen. 'Maar gisteravond stond er een bestelbus voor ons huis en ik dacht dat ik iemand het steegje in zag sluipen dat achterom loopt naar onze tuin.'

Klodder trekt zijn wenkbrauwen op. 'Echt?'

'Ja.'

'Wat deden ze?'

'Weet ik niet. Ik bedoel, het was donker. Ik kon niet echt veel zien. Het enige wat ik zag was een niet zo grote kerel met een parka aan...'

'Zag je hem uit de bestelbus komen?'

'Nee... ik zag hem alleen het steegje in gaan.'

'Heb je de politie gebeld?'

Ik schud mijn hoofd. 'Het kon wel iedereen zijn, een vriend van de buren of zo.'

Klodder fronst zijn voorhoofd. 'Je had de politie moeten bellen.'

'Nou ja,' zeg ik. 'Als ik hem weer zie, doe ik dat.'

Ik lieg niet graag tegen Klodder, maar ik vind het niet erg genoeg om het te laten. En, wat belangrijker is, het dient een doel. Omdat ik nu weet dat Klodder de slakkenhuizen niet in mijn tuin heeft gelegd. Want als hij dat wel had gedaan, had ik het alarmsignaal in zijn ogen gezien toen ik hem over de niet zo grote kerel in een parka vertelde die gisteravond rond mijn huis sloop. Omdat Klodder dan die kerel in een parka was geweest.

Maar dat was hij niet.

Daar ben ik 99% zeker van.

Dus het enige wat er overblijft, wat slakkenhuizen en vermoorden betreft, is GOD.

Ik doe mijn oortjes weer in, druk op PLAY en loop naar de bushalte.

deep one perfect morning (2)

Ik stap uit bij de rotonde voor het station en ga een verroest ijzeren hek door naar een laantje met aan weerszijden heggen, dat parallel loopt aan de spoorbaan. Het laantje heeft diepe tractorsporen en er liggen vieze bruine plassen, maar de grond tussen de sporen is verrassend stevig en ik kan er zonder al te veel moeite overheen lopen. Jezus en Maria rennen voor me uit en snuffelen onder de heggen, terwijl ik gewoon rustig aan doe – gestaag doorloop en naar de muziek luister – terwijl het laantje me naar een stille wereld van bomen, velden en open luchten voert.

Het is goed.

Ik vind het hier fijn.

Het geeft me een gevoel van dingen weg te zijn.

Er zijn hier geen bitches of geheimzinnige slakken.

Alleen maar:

- een grote zwarte roek die over een kale akker scheert naar een rij stakerige winterbomen aan de oever van een onzichtbaar water;
- een trein in de verte, die stil het station uit rolt;
- af en toe droge bruine bladeren die uit de bomen langs de weg naar beneden kringelen, afgewaaid door de wind;
- Dawn Bundy en haar honden.

Ik ken dit laantje vrij goed, ik laat de honden hier zo vaak uit als maar kan, maar over de kerk aan het eind van het laantje weet ik niks. Het is gewoon een kerk, een oud stenen geval met een oude stenen toren, omringd door een vervallen kerkhof. En als ik bij het houten hek kom dat naar het kerkhof voert, keer ik meestal gewoon om en begin aan de terugweg. Maar vandaag niet. Vandaag stop ik bij het hek. En, vandaag voor de allereerste keer, lees ik ook echt de verbleekte letters op het houten bord boven het hek. Er staat:

HET GEHEIM VAN DE
HEER
BEHOORT HEN
DIE HEM VREZEN,
EN HIJ ZAL
HUN ZIJN VERBOND
OPENBAREN

Ik kijk er een tijdje naar, lees het een paar keer, maar kan er geen touw aan vastknopen, dus roep ik de honden, doe de grendel van het hek en we lopen het kerkhof op. Een slingerpad leidt door de schaduw van oude bomen en grafzerken naar de voorkant van de kerk en terwijl we het pad volgen ruik ik de gronderige geur van de dode bladeren onder mijn voeten. Ik sta even stil, kijk naar de rotte bladeren op het pad en vraag me af…

Dode bladeren.

Dode lichamen.

Die gevallen bladeren, denk ik bij mezelf, komen uit bomen waarvan de wortels troep uit de grond opzuigen. En dit is een kerkhof. De grond zit hier vol dooie mensen. Dode lichamen, rottend vlees, waaruit God-mag-weten-wat de grond in lekt: bloed, dromen, hersenen, herinneringen, gevoelens… en de boomwortels zuigen al dat lijkensap op, en het sap vormt de bladeren, en de bladeren vergaan op hun beurt en sterven…

Ik zou boven op de resten van iemands gevoelens kunnen staan.

Ik loop door.

Er hangt hier een soort stilte, iets tijdloos. De oude stenen muren van de kerk zien er streng en somber uit in het ochtendlicht, en de granietgrijze toren tekent zich koud en donker af tegen de heldere januarilucht. De kerkdeur bevindt zich in een portaal met een houten afdak. Het portiek heeft een stenen vloer, aan weerszijden een stenen bank, en stenen muren behangen met kerkelijke mededelingsborden voor de gelovigen. Ik blijf daar even staan en kijk doelloos naar de berichten:

CHRISTELIJKE GODSDIENSTCURSUS,
OEFENING VOOR DE JEUGD
BROODMAALTIJD

LIJD JE AAN ANGST EN DEPRESSIE?
EEN DIERBARE VERLOREN?
VERSLAAFD AAN DRUGS EN ALCOHOL?
EMOTIONELE PROBLEMEN?

KERKDIENSTEN VOOR JANUARI IN
DE SINT MICHAELSKERK:
OCHTENDDIENST BEGINT OM 10.45 UUR
Met Eerw. David Welchman en
Soliste Martha Angstrom
AVONDDIENST BEGINT WEER OM 18.00 UUR.
Met Eerw. David Welchman en Solist Alan Taylor.
IEDEREEN WELKOM

Er staat niet echt op welke dag de kerkdiensten zijn, maar volgens mij op zondag en ik denk dat ik had moeten weten dat er hier vandaag niks gebeurt. Ik bedoel, God hoeft toch niet elke dag van de week aanbeden te worden?

Maar ik ben nu hier, dus kan ik net zo goed kijken of de deur open is, voor het geval dat.

Ik probeer de deur.

Hij zit op slot.

Ik blijf er doelloos naar staren – een grote plak zwaar donker hout, gigantische scharnieren, smeedijzeren grendels – en probeer me voor te stellen wat erachter zit. Stille kerkdingen, denk ik. Banken en preekstoelen. Glas-in-loodramen. Duisternis.

De onwelkome geur van God.

Bij mijn voeten jankt Maria ongerust.

Ik kijk op haar neer. 'Wat is er? Vind je het niks?'

Ze kwispelt zenuwachtig.

Ik glimlach. 'Te spookachtig voor jou?'

Ze gaapt gegeneerd.

Naast haar blaft Jezus zachtjes om me te laten weten dat híj niet bang is. Hij heeft nergens last van. Maar als Maria weg wil, nou... dat is ook goed.

'Kom op dan,' zeg ik. 'We gaan.'

We gaan het portaal uit en volgen het pad terug over het kerkhof naar het hek. Ongeveer halverwege, een beetje opzij van het pad in een kleine bloementuin, staat een houten bank. Het ziet eruit als een fijne plek om even uit te rusten, en mijn benen zijn een beetje moe van al dat lopen, en het is niet zo dat ik nodig ergens anders naartoe moet...

Dus ga ik zitten.

En ik staar over het kerkhof en kijk zonder nadenken naar de graven en de kruisen en de bomen en de grafzerken...

En dan doe ik mijn ogen dicht en buig in gedachten mijn hoofd.

psycho candy

Ik vind het prettig op deze sombere onbestemde plek. Ik zou hier altijd kunnen blijven, alleen in mijn onwereld, met mijn ogen dicht en trieste muziek aan, niet dertien jaar zijn, niet ergens niet over na hoeven denken, alleen maar luisteren naar dit prachtige niets...

Maar er is altijd wel iets, hè? Altijd wel iets wat je terughaalt uit je nergenswereld. En deze keer is het een plotselinge aanraking – een vinger die zachtjes op mijn schouder klopt – die mijn hart laat stokken en me met een ruk uit mijn leegte haalt. Geschrokken hap ik geluidloos naar adem, mijn ogen springen open en laten met een schok de te felle schittering van de buitenwereld binnen en daar voor me op het pad staat een vriendelijke man in een beige ribfluwelen colbert.

'O, neem me alsjeblieft niet kwalijk,' zegt hij terwijl ik de dopjes uit mijn oren friemel. 'Ik wilde je niet laten schrikken.' Hij glimlacht om te laten zien dat hij niks kwaads in de zin heeft. 'Gaat het een beetje?'

Hij is niet jong, deze man, maar ook niet oud. Waarschijnlijk ergens tussen de dertig en de veertig. Van gemiddelde lengte, gemiddeld postuur, helemaal een beetje gemiddeld. Hij heeft een ongevaarlijk uitziend gezicht, heel gewoon lichtbruin haar en volkomen doorsnee saaibruine ogen (die passen bij de kleur van de versleten oude aktetas in zijn hand). Onder zijn beige colbert draagt hij een saaie zwarte trui met een wit boordje – je weet wel, zo'n domineesboordje. Dus denk ik dat hij, tenzij hij naar een gekostumeerd bal gaat, ook werkelijk een dominee is. Of een priester, of een predikant, of een pastoor of iets dergelijks. Ik weet eigenlijk niet wat het verschil is.

'Wat?' vraag ik.

Hij glimlacht. 'Ik wilde alleen maar zeker weten of alles in orde was, verder niet. Ik zag je daar zitten, begrijp je, en ik dacht dat je misschien ziek was of zo...'

'Nee,' zeg ik en ik kijk om me heen naar Jezus en Maria. 'Nee, ik heb niks. Ik zat alleen maar... u weet wel... alleen maar na te denken.'

Hij knikt, alsof hij het begrijpt. 'Het is een goede dag om na te denken.'

Ik zie Jezus en Maria aan de andere kant van het pad rond een grafzerk snuffelen en bijna roep ik ze bij hun naam, maar hou me net op tijd in. Ik bedoel, die kerel is dominee, dus zou hij waarschijnlijk beledigd zijn als hij wist dat mijn honden Jezus en Maria heten. En al kan me dat niet schelen (omdat het, wat mij betreft, níét beledigend is), je hebt er niks aan om hem onnodig van streek te maken, toch?

'Zijn dat jouw honden?' vraagt de dominee.

'Ja.'

Ik fluit ze – een keer, twee keer – en ze komen alle twee aandraven.

'Ze zijn mooi,' zegt de dominee.

'Dankuwel.'

Hij kijkt hoe ze aan komen lopen en naast me gaan zitten en ik kijk ook naar ze terwijl ik me afvraag waarom ze daar gewoon rustig zitten, met iets van kinderlijke verlegenheid in hun ogen. Waarom gedragen ze zich niet zoals anders wanneer ze een nieuw iemand ontmoeten? Waarom rennen ze niet kwispelend in kringetjes rond en janken hun mooie domme koppies eraf?

'Ik ben overigens David Welchman,' zegt de dominee. 'Ik ben de parochiedominee hier van Sint Michael.'

'O,' zeg ik en ik knik.

Hij knikt ook en glimlacht, en ik denk dat hij waarschijnlijk wacht tot ik mijn naam zeg. Maar ik geloof niet dat ik dat wil. Ik weet niet waarom niet. Ik wil het gewoon niet.

'Waar luister je naar?' vraagt hij, terwijl hij nieuwsgierig naar de oortjes in mijn schoot kijkt. 'Iets wat ik kan kennen?'

'Waarschijnlijk niet.'

Hij knikt op een manier van oudere-man-die-met-een-tienermeisje-over-muziek-praat. Ik rol mijn oortjes op en stop ze in mijn zak bij mijn iPod. De dominee glimlacht weer.

Er komt een koude wind opzetten die de stapels dode bladeren tot kleine bruine tornado's opzweept, en boven de kerk hangt dreigend een vracht grijze wolken.

'Het ziet er naar uit dat we regen krijgen,' zegt de dominee, terwijl hij omhoog staart.

En terwijl hij het zegt, voel ik een enkele regendruppel op mijn hand. Het voelt ijskoud en loeiheet, heel groot en heel klein, als een miniatuurstorm op de kop van een reusachtige speld.

'Nou,' zegt de dominee, en tilt zijn aktetas op. 'Ik moet weer eens verder...'

'Kan ik u ergens over spreken?' vraag ik.

'Sorry?'

'Ik zou u graag ergens over spreken.'

'Maar natuurlijk,' zegt hij niet erg overtuigend. 'Waarover wilde je me graag spreken?'

'Over God.'

Ik weet bijna zeker dat de dominee niet echt met me wil praten, maar ik weet ook bijna zeker dat hij geen nee kan zeggen. Omdat:

(a) Het zijn werk is om met mensen over God te praten.

En (b) het nu giet en het niet erg christelijk van hem zou zijn om een jong meisje alleen in de storm buiten te laten.

Maar (c) hij heeft duidelijk iets te doen, iets zakelijks/aktetasserigs, en dat zou hij veel liever doen dan met mij praten.
En (d) wat belangrijker is, hij is een man, een man van middelbare leeftijd, en ik ben een tienermeisje, en op dit moment is er niemand in de buurt en denkt hij waarschijnlijk dat het voor een man van middelbare leeftijd niet erg passend is om alleen met een tienermeisje te zijn (ook al is dat tienermeisje nogal dik en lomp en niet aantrekkelijk).
Dus wat gaat het worden?

Nou, hij kiest voor een middenweg, dat gaat het worden. Hij zegt 'Kom op, laten we een droger plekje zoeken,' en haastig loopt hij, met de aktetas boven zijn hoofd, het pad af naar de kerk, en ik en Jezus en Maria volgen, en als we bij de beschutting van het stenen portaal zijn, wil hij tot daar en niet verder.

'Ga maar zitten,' zegt hij terwijl hij de druppels van zijn colbert af slaat. Ik kijk naar de gesloten deur en vervolgens naar hem. 'Kunnen we niet naar binnen?'

'Nou,' zegt hij voorzichtig, 'het lijkt mij beter als we hierbuiten praten.'

'Hoezo dat?' vraag ik, terwijl ik het antwoord weet en hem recht aankijk.

Het is heel gemeen om zoiets te zeggen en totaal onnodig, en de ik die dat zegt (de Dawn van nu) heeft er bijna meteen spijt van. En zelfs mijn andere ik (de Dawn van de spelonk, van wie ik weet dat ze een kleine onlogische kick van voldoening krijgt als ze de kronkel van ongemak in de fletse bruine ogen van de dominee ziet), zelfs die weet dat we niet eerlijk zijn.

Maar nu is het te laat.
(Het spijt me.)
Ik heb het al gezegd.
(Sorry.)

En ik kan niets doen om het ongedaan te maken. Ik kan alleen maar mijn ogen neerslaan en op de koude stenen bank gaan zitten en net doen of er niks gebeurd is.

(Wat is er gebeurd?

Niks. Er is niks gebeurd.

Er is geen Reden nummer vier.)

'Zo,' zegt de dominee na een tijdje. 'Waarmee kan ik je van dienst zijn?'

Zijn stem is nog steeds heel vriendelijk, maar er zit nu een behoedzaam kantje aan. Hij klinkt als de stem van een aardige man die met een mogelijk zwaar gestoord iemand praat.

Ik sla mijn ogen op en kijk hem aan.

(Sorry.)

En dan, terwijl ik zo normaal mogelijk probeer over te komen, zeg ik: 'Is het verkeerd om iets slechts geheim te houden?'

Hij kijkt me bezorgd en lichtelijk verbaasd aan. 'Ik weet niet precies wat je bedoelt.'

'Als je weet dat iets verkeerd is,' leg ik uit. 'Ik bedoel, als je weet dat iemand iets verkeerds heeft gedaan, iets dat hij niet had mogen doen, maar je vertelt het aan niemand... is dat verkeerd?'

'Nou,' zegt de dominee, nu met een heel ernstige stem. 'Het hangt er helemaal vanaf wat die persoon heeft gedaan.' Hij kijkt me aan. 'Is dat een hypothetische vraag? Of hebben we het over iets wat echt gebeurd is?'

'Ja, het is waar gebeurd.'

'Juist. En ken je de persoon die iets verkeerds heeft gedaan?'

'Ja.'

Hij kijkt me weer aan, nu eerder bezorgd dan verbaasd. 'Kun je me vertellen wat voor iets die persoon heeft gedaan?'

'Iets heel slechts.'

'Heeft hij de wet overtreden?'

'Ja.'

'Heeft hij iemand gekwetst?'

'Ja.'

'Ernstig?'

'Ja.'

'Hoe ernstig?'

'Zo ernstig als maar kan.'

De dominee schudt langzaam zijn hoofd. 'En jij zegt dat je die persoon kent? Dat je weet wat hij heeft gedaan?'

'Ja… ik ken hem. En ik weet wat hij gedaan heeft. En het is iets slechts… u weet wel, iets tegen de wet. Het is verkeerd.' Ik kijk de dominee aan. 'Vindt u dat ik het tegen iemand moet zeggen?'

'Ik denk dat je een vreselijke fout maakt als je het niet doet.'

'Oké… dus u vindt dat ik iets moet doen?'

'Absoluut.'

'U vindt niet dat ik het zomaar moet laten gebeuren?'

'Natuurlijk niet.'

Ik kijk hem aan. 'Hoe komt het dan dat God het wel mag laten gebeuren?'

'Pardon?'

'Het is toch strafbaar?'

De dominee lijkt in de war. 'Wat?'

'Het niet aangeven van een misdaad… dat is tegen de wet. Het is verboden.'

'Dat is het zeker…'

Dus hoe kan het dan dat God ermee wegkomt? Ik bedoel, hij is toch getuige van allerlei afschuwelijke dingen? Maar hij doet er nooit iets aan. Hij probeert het nooit tegen te houden. Hij geeft het nooit aan. Hij belt nooit de politie.' Ik kijk naar de dominee. 'Als iemand anders dat zou doen, zou hij gearresteerd worden.'

'Nou, nou,' zegt de dominee. 'Ik vind dat je nu een beetje overdrijft…'

'Weet ik,' zeg ik. 'Maar ik heb wel gelijk, hè?'

De dominee glimlacht.

Ik glimlach terug, terwijl ik me voorstel hoe God gearresteerd wordt en beschuldigd van een eindeloos aantal keren niet aangeven van een misdaad. Ik zie voor me hoe zijn almachtige vingerafdrukken worden genomen, dat hij verhoord wordt door de politie. Ik zie hoe hij overlegt met zijn advocaat. Ik zie hem voor de rechtbank in het beklaagdenbankje staan en bij zichzelf zweren dat hij de waarheid en niets dan de waarheid zal zeggen... zo helpe mij Mijzelf. Ik stel me voor dat hij in een politiebusje wordt afgevoerd, naar de gevangenis. Dat hij in een cel opgesloten wordt, met een vreselijk klein bedje en een vreselijk klein wastafeltje, en een vreselijk klein wc'tje zonder bril...

En ik weet niet waarom ik dit allemaal doe.

Ik weet niet eens waarom ik zo nodig hier naartoe moest.

Ken uw vijand?

Ik heb geen vijand.

Er is geen God.

En deze man, deze dominee... is gewoon een man. Gewoon een doodnormale man (met een beetje belachelijk boordje om) die in iets gelooft wat niet bestaat. Het heeft geen zin om hem dingen te vragen. Om een gesprek met hem te voeren.

Ik wil niet over God práten.

Ik wil hem alleen maar vermoorden.

Het regent nu niet meer zo erg. Jezus steekt voorzichtig zijn snuit om de hoek van het kerkportaal, en snuift de verse geuren op die de regen tevoorschijn heeft getoverd, en Maria zit gewoon rustig op de koude stenen vloer hardnekkig naar de rechterschoen van de dominee te staren. Ondertussen kijkt de dominee naar mij op de stille bedachtzame manier van mensen die denken dat ze meer weten dan jij. Hij heeft zijn geloof, neem ik aan. En ik denk dat hij het goed meent. Maar ik weet gewoon dat als ik een boosaardig iemand was en hem kwaad zou willen doen, zijn geloof niets zou doen om mij tegen te houden.

'Wat doet hij eigenlijk?' vraag ik.

'Sorry?'

'God... ik bedoel, wat dóét hij nou eigenlijk?'

'Nou,' zegt de dominee (hij is dol op dat woordje 'nou'), 'het is niet zozeer een kwestie van wat God dóét...'

'Voor mij wel.'

'Nou, dat spijt me, maar zo eenvoudig ligt het niet.' Dan kijkt hij me aan, en ik weet door het geluidloze gonzen van de radertjes in zijn hersenen dat hij op het punt staat een preek tegen me af te steken... en daar heb ik echt geen behoefte aan.

'Ik moet geloof ik maar eens gaan,' zeg ik, terwijl ik overeind kom.

Hij kijkt me aan en knikt langzaam. 'Nou... als je me nog eens ergens over wilt spreken, over wat dan ook...' Hij wacht en laat een oprecht bezorgde blik in zijn ogen komen. 'Ik kan je geen antwoord beloven, maar soms helpt het om erover te praten.'

'Oké.'

'Maakt niet uit waar je wel of niet in gelooft.'

'Ja... nou, bedankt. Ik zal erom denken.'

Hij glimlacht, 'Goed zo.'

'Tot ziens,' zeg ik.

'Dat hoop ik.'

En daarmee ben ik weg.

shimmer

Vraag: Hoe vermoord je iets wat niet bestaat?
Antwoord: Dat hangt ervan af.
Vraag: Waarvan?
Antwoord: Van wie of wat dat niet bestaande ding voorstelt.

Bijvoorbeeld, als het niet bestaande ding dat je wilt vermoorden:
(1) Superman is,
dan hoef je alleen maar wat kryptoniet naar hem te gooien. Maar als het niet bestaande ding dat je wilt vermoorden:
(2) een vampier is,
kun je het op allerlei manieren proberen, zoals:
(a) een staak van een ratelpopulier, es of witte meidoorn met een enkele stoot door zijn hart boren
(b) een zilveren kogel, gezegend door een priester, in zijn hart schieten
(c) kokend water, kokende olie of wijwater in zijn graf gieten
(d) een zilveren munt in zijn mond stoppen
(e) hem onthoofden met een bijl
(f) hem begraven op een kruispunt
(g) hem met wilde rozen aan zijn graf vastketenen
(h) zijn hoofd in azijn koken
(i) zijn hoofd afkappen en verbranden
(j) een spijker door zijn navel slaan
(k) zaadjes van klaprozen in zijn graf stoppen
(l) zijn hart eruit halen en in tweeën snijden
(m) zijn tenen afhakken en een spijker door zijn hals slaan

of (n) een citroen in zijn mond stoppen.

Maar, als het niet bestaande ding dat je wilt vermoorden:

(3) een weerwolf is (of wat voor weerbeest/gedaanteveranderaar ook),

dan ben je beter af met:

(a) hem doodschieten met een zilveren kogel

(b) zijn hart eruit snijden en dat verbranden

(c) zijn schedel inslaan en daarna zijn hoofd verwijderen en vernietigen

(d) hem laten ontploffen (misschien door hem met een smoesje een of ander explosief te laten eten)

of (e) hem in een reuzengehaktmolen laten vallen.

Oké, dus stel dat God een of andere supervampierwolf was en ik wilde hem vermoorden, dan zou ik (met het oog op zijn superbovennatuurlijke goddelijke weerstandsvermogen tegen de dood) alles van hierboven moeten proberen en dat zou betekenen dat ik een heleboel dingen te pakken moest zien te krijgen. Namelijk het volgende:

- wat kryptoniet
- een staak van een ratelpopulier, es of witte meidoorn
- een zilveren kogel
- een priester om de zilveren kogel te zegenen
- een pistool om de zilveren kogel af te vuren (tenzij de zilveren kogel toevallig de goede soort kogel is voor het pistool dat pap heeft achtergelaten, in dat geval zou ik (neem ik aan) dat kunnen gebruiken.)
- wat kokend water, kokende olie of wijwater
- een munt
- een bijl
- een spade (of een schep) voor het begraven
- een kruispunt (om hem daar te begraven)
- een ketting

- wat wilde rozen
- azijn
- twee spijkers (lang genoeg voor de navel en de hals)
- een hamer (om de spijkers erin te slaan)
- wat klaprooszaadjes
- een citroen
- een of ander explosief
- een reusachtige gehaktmolen.

Nou, al met al (als je het kokend water, de kokende olie, en het wijwater als drie aparte telt en de twee spijkers als één) kom ik in totaal op eenentwintig items. En bij die eenentwintig items zitten er volgens mij veertien waar heel makkelijk aan te komen is, drie heel moeilijk, maar niet onmogelijk, drie praktisch onmogelijk, en een absoluut onmogelijk. Wat ook onmogelijk is:

- Gods graf vinden
- zijn navel, hals, hoofd, hart, mond, tenen, etc. vinden
- ook maar iets van hem vinden.

Vraag: Hoe vermoord je iets wat niet te vinden is (omdat het niet bestaat)?
Antwoord: Je zoekt waar het wel bestaat.
Vraag: Waar bestaat God wel?
Antwoord: In de bladzijden van een boek, en in het hoofd van miljoenen mensen.
Vraag: Dus wat nu?
Antwoord: God mag het weten.

Ik kan toch niet miljoenen mensen gaan vermoorden? Ik bedoel, zelfs al zou ik willen (wat niet zo is), het is gewoon niet uitvoerbaar.

Nee.

Dus als miljoenen mensen vermoorden niet het antwoord is, wat dan wel? Het enige wat ik nu kan bedenken (en nu is overigens zo'n uur of zes 's avonds en zit ik op bed met Jezus en Maria en zijn we omringd door bladzijden en bladzijden onbruikbare informatie die ik van verschillende zielige websites heb gehaald en regent het buiten en speel ik 'Shimmer' steeds maar weer ongelooflijk hard)... en het enige wat ik nu kan bedenken is om de rest van mijn leven alle bijbels van de wereld te vernietigen...

En dat zie ik echt niet gebeuren.

'Jullie?' vraag ik aan Jezus en Maria.

Jezus slaapt, dus die geeft geen antwoord. Maar Maria kwispelt heel even – maar één kwispel – en meer hoef ik niet te weten.

'Ik verdoe mijn tijd zeker?' vraag ik aan haar.

ja

'Ik raak de weg kwijt.'

ja

'Ik doe zo mijn best om het goed te doen dat ik er niet goed van word.'

ja

Vraag: Wat zou je graag willen?
Antwoord: Ik zou graag willen dat ik mijn hand in mijn hart kon steken en dingen ongedaan kon maken.

god help me (1)

Ik heet Dawn.

Ik ben dertien jaar.

Ik heet Dawn.

Ik wil er niet aan denken.

Maar elke dag doet het meer pijn en wordt de spelonk in mijn hoofd kleiner en kleiner en wordt hij donkerder en donkerder en kouder en kouder en als ik er niet heel gauw uit kom denk ik dat die spelonk mijn dood wordt.

Dawn is een dochter.

Dawn is een seksobject.

Ik heet Dawn.

Ik ben dertien jaar.

God sta me bij.

her way of praying (2)

Beneden in de voorkamer zit mam in haar leunstoel te roken en te drinken en ik zit op de bank met Jezus en Maria lekker aan weerszijden tegen me aan, en kennelijk kijken we met zijn allen naar *Zoo Vet at Large*.

De donkere kamer met dichte gordijnen wordt verlicht door het flikkerende licht van de enorme tv, en af en toe, als het beeld op het scherm ineens helder wordt, vangt het tv-licht de wolk sigarettenrook die onder het plafond hangt en is de wolk heel even een donderwolk en zit ik niet meer in de voorkamer, maar ben ik buiten en kan er elk moment een storm losbarsten en lijk ik een of andere reuzin.

'Alles goed, schat?' vraagt mam.

'Ja hoor,' zeg ik. 'Prima.'

Ze pakt de afstandsbediening en glimlacht naar me. 'Wil je iets anders zien?'

Ik schud mijn hoofd. 'Ik vind dit best.'

'Zeker weten?'

'Ja.'

'Als je wilt, kijk ik of er iets anders is.'

'Nee hoor... dit is goed zo.'

Ze kijkt even naar me, met een licht wiebelend hoofd, pakt dan haar sigaret van de asbak en richt haar aandacht weer op de tv. Ik kijk naar haar terwijl ze kleine teugjes uit haar glas neemt, haar sigaret rookt, met glazige ogen naar de televisie kijkt

(she's keeping time
keeping time)

en er is zo veel wat ik haar zou willen vragen.
Waar denk je aan, mam?
Wat zit er in je hoofd?
Wat voel je?
Voel je nog wel wat?
Is er nog iets van je over?

Ik weet niet zeker of het mogelijk is om te veel van iemand te houden, maar ik denk dat dat met mam is gebeurd. Ze hield zo veel van pap, zo ontstellend veel, zo totaal zonder enige voorwaarde... ze hield zo veel van hem en houdt nog steeds zo veel van hem, dat al het andere erbij in het niet valt.

Zelfs haar liefde voor mij.

Daarmee wil ik niet zeggen dat haar liefde voor mij niet oprecht is, want dat is hij wel. Hij is oprecht, echt, groter dan een planeet. Het is het enige waar ze nu nog om geeft. Het enige wat ze nog heeft. Maar dan nog geloof ik niet dat die liefde groot genoeg is om iets te veranderen.

Ik kan het mis hebben, natuurlijk.

Ik heb het zo vaak mis.

'Je bent toch niet vergeten dat ik morgen naar de dokter ga, hè', zegt mam.

'Nee... je had toch een afspraak om vijf uur?'

Ze knikt.

Ik kijk haar aan. 'Wil je dat ik meega?'

Ze glimlacht. 'Nee, dat hoeft niet, dankjewel.'

'Weet je het zeker? Ik vind het niet erg...'

Ze schudt haar hoofd. 'Het is maar voor controle...' (Ze spreekt het verkeerd uit, praat onduidelijk – izzmaggotrole – maar ik weet wat ze bedoelt (ik spreek vloeiend dronkenmams). Ze moet elk half jaar naar de dokter voor een controle van haar medicijnen. De dokter doet niets. Hij vraagt haar alleen of alles naar wens is, zij zegt ja, en dat is het zo'n beetje.)

'Ik neem de bus wel,' zegt ze.

'Oké.'

Ik zie haar zitten – sigaret, borrel, de afstandsbediening vastgekleefd aan haar hand, dode ogen die leeg staren naar reclame voor rommel waar ze niks om geeft – en ik vraag me af hoe lang het geleden is dat we het met elkaar echt ergens over gehad hebben. En zoals met zoveel dingen kan ik het me niet herinneren. Of ik wil het me niet herinneren. Of de Dawn die het zich wel kan herinneren komt niet meer uit haar spelonk.

'Voel je je goed, mam?' vraag ik zacht.

'Hmm?' vraagt ze, met haar ogen nog steeds op de tv gericht.

'Voel je je goed?'

Ze kijkt me aan, haar gezicht heel even zonder enige uitdrukking, dan lacht ze en zegt: 'Best.'

'Echt?'

Ze knikt, nog steeds lachend, maar ik denk dat ze weet dat ik niet op een glimlach zit te wachten, en ik vermoed dat haar dat doodsbang maakt. En daarom laat ik het meestal zo. Omdat ik iets anders niet aankan. Omdat zij dat niet aan zou kunnen.

Dat doen we dag in dag uit: mam glimlacht, ik neem er genoegen mee, en alles is in orde. We houden van elkaar. We hoeven niks te zeggen. We hoeven het niet over enge dingen te hebben. Zo gaan we met elkaar om.

Maar vandaag voelt anders.

Waarom weet ik niet.

Het voelt gewoon anders.

'Het is oké,' zeg ik. 'Ik bedoel, ik probeer niet om... je weet wel... ik probeer alleen maar...'

'Weet ik,' zegt ze. 'Laat maar.'
'Ik dacht alleen...'
'Ik voel me prima.'
'Ja, maar niet heus, hè? Niet echt.'
Zoals ze me even met een versufte verbaasde blik aankijkt, is het net alsof ze niet kan geloven wat ze net heeft gehoord. Als een dronkenlap die net een klap in zijn gezicht heeft gekregen, ze weet dat het gebeurd is, en weet dat zoiets verondersteld wordt pijn te doen, maar ze is er niet helemaal zeker van of dat nou wel of niet zo is.
'Ik weet niet...' mompelt ze, terwijl ze haar sigaret uitdrukt en trillend een volgende opsteekt. 'Ik weet niet...'
'Laat maar, mam,' zeg ik. 'Je hoeft niet...'
'Het is zo moeilijk,' zegt ze heel zacht.
'Weet ik.'
'Ik voel me zo...'
Ik wacht, hou mijn adem in, wacht tot ze me gaat vertellen hoe ze zich voelt... maar het is haar gewoon te veel. Ze kan niks meer zeggen. Ze krijgt de woorden er eenvoudig niet uit. Haar lippen klemmen op elkaar, haar ogen zijn gesloten, haar kaak is gespannen, en alles wat ze kan doen is in lijdzame stilte haar hoofd schudden, terwijl ze de tranen probeert terug te dringen. En ik weet

(it's her way of saying a prayer for me)

en weet dat ik een hekel aan mezelf heb omdat ik muziek in mijn hoofd hoor terwijl ik alleen mams ingehouden gesnik zou moeten horen, maar ik kan er niks aan doen. Ik heb geen controle over wat er in mijn hoofd omgaat. En zelfs terwijl ik van de bank opsta en naar mam toe loop, mijn armen stevig om haar heen sla, en haar tranen in mijn huid voel sijpelen en haar beven tot in mijn botten dringt en het geluid van 'Her Way of Praying' zich terugtrekt in de stilte van mijn binnenste, zelfs dan kan ik het geluid van weer een ander lied in mijn hoofd niet tegenhouden…

Een andere tijd.

Een andere Dawn.

Een ander lied.

god help me (2)

Een psalm.
Pa's psalm.

heb je Jezus al gevraagd om verlossing van het kwade?
ben je gewassen in het bloed van het lam?
vertrouw je in dit uur vast op zijn genade?
ben je gewassen in het bloed van het lam?

ben je gewassen in het bloed?
in het zielzuiverend bloed van het lam?
zijn je kleren smetteloos? zijn ze wit als sneeuw?
ben je gewassen in het bloed van het lam?

Hij draait het 's avonds laat als hij ladderzat is

wandel je aan de zijde van de verlosser?
ben je gewassen in het bloed van het lam?
ben je elk moment bij de gekruisigde?
ben je gewassen in het bloed van het lam?

als hij lichamelijk en geestelijk niks meer voorstelt

als de bruigom komt, blinkt dan je kleed?
hagelwit in het bloed van het lam?
is je ziel voor het hemelse feest gereed?
en gewassen in het bloed van het lam?

als hij zich lam heeft gezopen

leg je kleren af die besmet zijn met zonde
en laat je wassen in het bloed van het lam
er is een eeuwige fontein voor de onreine ziel
o laat je wassen in het bloed van het lam

dan huilt hij.

ben je gewassen in het bloed?
in het zielzuiverend bloed van het lam?
zijn je kleren smetteloos? zijn ze wit als sneeuw?
ben je gewassen in het bloed van het lam?

God sta me bij.

mushroom

Ik zeg niks tegen mam terwijl ze daar tranen met tuiten zit te huilen, ik houd alleen haar betraande hoofd in mijn armen en zou willen dat het allemaal anders was. Dat ze niet huilde. Dat ik kon ophouden met naar de storm in mijn hoofd te luisteren en naar het geluid van de regen buiten, en dat ik iets voor haar kon doen. Maar dat kan ik niet.

En daar heb ik de pest over in.

Het is zo waardeloos.

Maar ik kan niets anders bedenken. Ik kan de juiste woorden niet vinden. Ik kan het juiste gevoel niet vinden. Ik kan me niet concentreren. Ik kan niet denken. Wat er ook in mijn binnenste zit, wat ik ook voel… het is net alsof het bij iemand anders hoort.

Een andere Dawn.

Een seksobject.

Een dochter.

Mam huilt nu zo erg dat ik me op een gegeven moment afvraag hoe lang een mens kan huilen. Ik bedoel, er moet toch een eind aan komen? Je kunt niet voor altijd blijven huilen. De tranen moeten uiteindelijk opdrogen.

Maar mam schijnt er geen probleem mee te hebben. Ze blijft gewoon huilen, snikken, janken, brullen… en ze houdt er niet mee op tot plotseling de bel gaat en Jezus en Maria van de bank springen en naar de gang spurten (WRAUWRAUWRAUWRAUW).

Mam gaat rechtop zitten en veegt de tranen en het snot van haar gezicht.

'Geeft niks,' zeg ik. 'We hoeven niet open te doen.'

'Jawel,' snuft ze, 'we kunnen beter kijken wie er is.'

'Het is niet belangrijk, mam. Het is niet…'

'Toe dan,' dringt ze aan. 'Misschien is het wel belangrijk.'

We kijken elkaar even aan, en ik besef wat ze bedoelt – d.w.z. dat het misschien iemand met nieuws over pap is – en al denk ik niet dat dat erg voor de hand ligt, een deel van mij, een schuldbewust deel, is stiekem blij met de gelegenheid om iets anders te doen te hebben dan mams hoofd in mijn armen houden en naar haar gehuil luisteren. Dus loop ik maar met halve tegenzin naar het raam aan de voorkant en trek het gordijn opzij om te zien wie er is.

Ik heb geen idee wie het kan zijn – hoewel ik, ergens in mijn achterhoofd, verwacht dat het iemand is met een collectebus voor een goed doel of zo – en als ik dus het gordijn wegtrek en twee gedaantes zie die ik herken, komt het een beetje als een schok.

'Shit,' mompel ik, knipperend met mijn ogen bij het zien van Taylor en Mel. Als ik misschien wat vlotter was geweest, misschien het benul had gehad om het gordijn dicht te doen voor ze een kans hadden me te zien, dan was alles misschien anders gelopen.

Maar dat was ik niet.

En dat deed ik niet.

En het liep niet anders.

En in die fractie van een seconde tussen het bij de deur zien staan van Mel en Taylor, ze herkennen, en er aan denken om het gordijn dicht te schuiven, draait Taylor zich om, ziet me bij het raam, en begint onmiddellijk te roepen en naar me te gebaren. Ik kan niet echt horen wat ze zegt (boven de herrie van de stromende regen uit), maar aan haar gezicht te zien en aan de manier waarop ze met haar handen zwaait, geloof ik dat het iets is als: 'Schiet op, doe die fucking deur open, Jezus! Het zeikt hier!'

'Wie is het?' vraagt mam.

'Taylor en Mel.'

'Wie?'

Ik doe het gordijn dicht en kijk haar aan. Ze zit nog te snuffen en haar neus af te vegen, maar is nu zo'n beetje gestopt met huilen. Haar gezicht ziet rood, haar ogen zijn bloeddoorlopen en gezwollen en haar wangen zitten onder de strepen van mascara en tranen.

'Taylor en Mel,' herhaal ik. 'Je weet wel, de meisjes die gisteravond langskwamen. Ik zal zeggen dat ze weg moeten gaan.'

'Nee,' zegt mam. 'Doe niet zo gek. Ik ben weer in orde.'

'Ja, maar eigenlijk wil ik niet...'

De honden beginnen nog harder te keffen als de bel weer gaat, en deze keer stopt hij niet. Taylor – of misschien Mel, maar ik weet bijna zeker dat het Taylor is – houdt haar vinger op de bel. Dus gaat die nu constant, en Jezus en Maria raken door het dolle heen (WRAUWRAUWRAUWRAUW), en de regen striemt tegen de ruiten, en het maakt allemaal zo idioot veel herrie dat mam moet schreeuwen om zich verstaanbaar te maken.

'KOM OP, SCHAT! LAAT ZE BINNEN!'

'JA, MAAR IK WIL NIET...'

'JE KAN ZE MAAR BETER BINNENLATEN!' schreeuwt ze, zich dwingend tot een glimlach. 'VOOR DE BEL ERAAN GAAT!'

about you (1)

Taylor wacht niet tot ik haar binnen vraag; zo gauw ik de voordeur open, valt ze zonder meer de gang in en loopt me bijna ondersteboven.

'Shit, wat is het koud,' zegt ze, in haar handen wrijvend. 'Waar bleef je?'

Voor ik antwoord kan geven buigt ze voorover om Jezus en Maria te begroeten en sta ik oog in oog met Mel achter haar.

'Hé, Dawn,' zegt ze terwijl ze binnenkomt en de deur achter zich sluit. 'Alles goed met je?'

'Ja...'

Ze heeft zwarte puntlaarzen aan, een felroze parka met een bontrand rond de capuchon, en in haar hand heeft ze een plastic tas. Te zien aan de grootte en de vorm denk ik dat hij vol drank zit. Taylor heeft ook een tas bij zich, iets groots bruins handtasserigs, meer een dure schoudertas. Zij draagt een kort zwart bomberjack, ook met een bontrand rond de capuchon, een strakke spijkerbroek (ik neem trouwens aan dat Mel een heel kort rokje onder haar parka aan heeft, omdat haar benen bloot zijn (en onwillekeurig en nogal gegeneerd zie ik dat ze ook ongelooflijk mooi zijn)).

'Wat is er?' hoor ik mezelf zeggen.

'Er is niks,' zegt Taylor met nog steeds overdreven aandacht voor de honden. 'We kwamen gewoon even gedag zeggen.'

Ik kijk op haar neer.

Ze glimlacht. 'Als je dat niet erg vindt?'

'Nee, natuurlijk niet... ik was net...'

Ze gaat recht staan, te dicht tegen me aan. 'Je was net wat?'
Ik zucht. 'Niks.'
'Goed zo.' Ze grijnst naar Mel en keert zich dan weer naar mij. 'Zorg jij voor de glazen?'

Nadat Taylor en Mel boven op mijn kamer hun jassen hebben uitgedaan (en ik gemerkt heb dat ik gelijk had met Mels heel korte rok) gaan we weer hetzelfde zitten als de vorige avond: ik achter mijn bureau, Taylor en Mel op de rand van het bed en Jezus en Maria languit achter hen.
'Doe je dat altijd?' vraagt Mel.
'Wat?'
'De muziek,' zegt ze, knikkend naar mijn computer. 'Zo gauw je gaat zitten, zet je het aan.'
'Nou en?'
Mel haalt haar schouders op. 'Gewoon de manier waarop je dat deed... als een soort... ik weet niet...'
'Zenuwtik?' suggereert Taylor, met een grijns naar Mel.
Ik weet dat ze zit te dollen, maar het grappige is (misschien is grappig niet het juiste woord), dat ze er waarschijnlijk niet ver naast zit. Muziek opzetten is een soort zenuwtik. Ik doe het automatisch. Het gaat vanzelf. Een onwillekeurige en onbewuste handeling. Ik kom mijn kamer binnen, ga achter mijn bureau zitten en voor ik het weet heb ik iTunes aangeklikt, ben door de speellijst gescrold, heb 'About You' geselecteerd en op PLAY gedrukt.

(i can see
that you and me
live our lives in the pouring rain)

'Wat moet dat voorstellen?' vraagt Mel, terwijl ze met een frons op haar voorhoofd naar de andere kant van de kamer kijkt.

'Wat?'

'Op de vloer... onder het raam.'

De schrik slaat me een beetje om het hart als ik merk waar ze naar kijkt. Ik bedoel, het maakt niet uit... het is niet belangrijk. Het is alleen dat ik daarvoor, toen ik erover dacht hoe ik God moest vermoorden en tot de conclusie (of een conclusie) was gekomen dat ik alle bijbels ter wereld zou moeten vernietigen, en had beseft dat dat nooit zou gebeuren... nou, toen dacht ik gewoon bij mezelf: oké, dat gaat dus niet gebeuren, maar dat wil niet zeggen dat ik er niet mee kan beginnen, toch? Dus had ik mijn twee bijbels op een bakblik met een beetje olie gelegd, het bakblik op de vloer onder het raam gezet en de boel aangestoken.

De bijbels brandden niet zo goed. Ik moest in de bladzijden blijven porren om het vuurtje aan de gang te houden, en dan nog moest ik het honderd keer opnieuw aansteken. En ondanks dat ik het raam open had, was mijn kamer naar rook gaan stinken. Maar op het laatst kreeg ik mijn zin : twee ex-bijbels, helemaal verbrand en volstrekt onleesbaar.

Stof zijt gij.

En tot stof zult gij wederkeren.

En dat is waar Mel (en Taylor nu ook) naar kijken: een hoop verbrand papier op een bakblik op de vloer onder het raam.

'Dat is niks,' zeg ik. 'Alleen maar... alleen maar wat papier...'

'Papier?' vraagt Taylor, terwijl ze naar me kijkt of ik een of andere idioot ben. 'Wat voor papier?'

'Gewoon papier,' zeg ik met een schouderophaal (en ik weet dat het vrij stom klinkt, maar ik kan niks anders bedenken).

Taylor kijkt me even aan en geeft me dan zo'n hoe-sneu-kun-je-zijn-blik – ze doet even haar ogen dicht en schudt langzaam haar hoofd – en ik voel me nogal opgelaten en verlegen en vraag me af waarom. Wat kan het me verdomme schelen wat Taylor en Mel van me denken? Het heeft me nog nooit iets kunnen schelen wat iemand van me dacht. Ik was altijd dik tevreden met mijn imago van er-niet-bij-horen, van loser, van slome-bolle-raremeid.

Niet dan?

'Nou ja,' zegt Taylor, met een duik in Mels plastic tas. 'Wie wil er wat drinken?'

Ze haalt er een fles wodka uit, schroeft de dop eraf, en neemt een slok. 'Waar zijn de glazen?' zegt ze, terwijl ze om zich heen kijkt.

Mel geeft haar twee van de drie limonadeglazen die ik uit de keuken mee naar boven heb genomen (en nog steeds vraag ik me af waarom ze er per se drie wilden hebben, toen ik zei dat ik er geen hoefde), en Taylor schenkt een laagje wodka in elk ervan en geeft er een aan Mel.

Terwijl Mel een slok neemt en ik hier zit, ze in de gaten hou, naar ze kijk, ze bestudeer, besef ik plotseling dat ik me hyper-overbewust ben van mezelf. Allebei zitten ze daar op mijn bed met hun strakgespannen-kortgerokte-blitsblote meidenlef pure wodka te zuipen uit limonadeglazen... en het lijkt allemaal zo ver van me af, alsof het hier is, maar toch ook weer niet. Het is ver van mijn bed. Maar ook onvoorstelbaar dichtbij. Eigenlijk zo dichtbij, zo dicht op mijn huid, dat het tot achter mijn ogen is gedrongen en ik het binnen in mijn hoofd zie als een angstwekkend uitvergrote droom.

Ik zie elk minuscuul detail van Taylors gezicht – haar volmaakte jukbeenderen, haar geëpileerde wenkbrauwen, haar roze gestifte lippen. Ik zie de gladde huid van haar schouders, bleek en gespierd onder een zwart haltertopje... en de manier waarop ze haar sigaret vasthoudt, met haar roodgelakte nagels glimmend als klauwen tussen de slierten rook in het licht. Ik zie de vage sporen van een telefoonnummer in zwarte balpeninkt op de rug van haar hand. En ik zie de stervormige poriën van haar huid door het zwart heen.

En (op een of andere manier) zie ik tegelijkertijd alles van Mel – elke vezel van haar strakke Killah-hemdje met de welvingen daaronder en de zwakke glinstering van haar bijna doorzichtige minirokje van zwarte vitrage en haar diepe donkere ogen en warme olijfkleurige huid... maar het doet me zoveel dat ik de aanblik niet kan verdragen.

Ik kan niet...

Ik wil niet...

(i know there's something good
about you
about you)

Nee, zulke dingen kan ik niet voelen.

'Wil je ook wat?' vraagt Taylor.

'Wat?'

'Wodka,' zegt ze (en nu ben ik weer buiten mijn hoofd en zie haar met de fles naar me zwaaien). 'Wil je ook wat?'

'Nee, dankjewel.'

'Zeker weten?'

'Ja.'

'Neem hier dan wat van,' zegt ze en ze haalt nog een fles uit de plastic tas.

Het is een zilverkleurige fles met een zwarte hals en rode letters op de zijkant. Op de hals staat ook iets, maar het folieachtige plastic is daar een beetje weg gekrabd waardoor ik niet kan zien wat er staat.

'Wat is het?' vraag ik aan Taylor en probeer met mijn hoofd schuin te lezen wat er op de zijkant staat.

'Het heet Revolver,' zegt ze, terwijl ze er wat van in een glas schenkt. 'Maak je niet ongerust, er zit geen alcohol in.' Ze glimlacht spottend, alsof niet van alcohol houden het meest kinderachtige is wat je je voor kunt stellen, en ze staat op van het bed en brengt het glas naar me toe.

Ik kijk naar haar omhoog zoals ze voor me staat en me het glas aanbiedt.

'Toe dan,' zegt ze spottend. 'Pak aan. Het is onbeleefd om een drankje te weigeren.'

Ik kijk naar het glas. Het is tot aan de rand gevuld met iets wat opvallend op cola lijkt. Dezelfde kleur, dezelfde belletjes, in alles hetzelfde als cola.

'Wat zit erin?' vraag ik.

'Jezus,' valt Taylor uit. 'Weet ik het... gewoon zo'n sportdrankje, je weet wel, net als Red Bull of zoiets.' Ze steekt me het glas toe. 'Gewoon een stom drankje, oké? Ik bedoel, shit, ik probeer hier alleen maar fucking aardig te zijn...'

'Cafeïne, ginseng en taurine,' zegt Mel vanaf het bed. Ik kijk en zie haar de achterkant van de fles oplezen.

'En guarana en vruchtensap,' voegt ze eraan toe terwijl ze opkijkt. 'Dat is het. Vruchtensap, cafeïne, ginseng, guarana en taurine.'

'Taurine?' vraag ik, terwijl ik het glas van Taylor aanpak.

'Ja,' zegt Mel. 'Een natuurlijk opwekkend middel. Het zit in energierepen.' Ze glimlacht. 'Daarom heten ze energierepen.'

'Dat is guarana,' zeg ik.

'Wat?'

'Guarana. In energierepen zit guarana. Geen taurine.' Ik kijk Mel aan. 'Het is van hetzelfde soort als taurine...'

'Ja, ja,' zegt Taylor die doet alsof ze moet gapen terwijl ze weer op het bed gaat zitten. 'Heel boeiend.'

'Het maakt dat je te laat komt,' zeg ik en het verbaast me om te merken dat ik haar aan blijf staren.

Ze kijkt me doordringend aan. 'Wat?'

'Guarana,' zeg ik. 'Het maakt dat je te laat komt voor school.'

Weer zo'n blik. 'O ja?'

Ik knik (en denk aan mijn niksjas, en hoe die me ook te laat laat komen, en door daaraan te denken moet ik lachen). 'Ja,' zeg ik (geen idee waar ik mee bezig ben, maar het kan me ook niks schelen). 'Wat er namelijk gebeurt is: je wordt 's ochtends wakker en je voelt je heel moe, dus neem je een douche met een douchegel waar guarana in zit... snap je, omdat je verondersteld wordt daar een onmiddellijke stoot energie van te krijgen waardoor je je beter gaat voelen.' (Die tekst lepel ik overigens woord voor woord van de fles douchegel op.) 'En dan denk je dat je er bent, dat je nu opgepept bent, dat je je kunt gaan aankleden en naar school gaan, geen probleem. En dan was je nog snel even je haar, maar per ongeluk gebruik je een kruidenshampoo met mimosa erin, dat bekend staat om zijn rustbevorderende werking en je een kalm en ontspannen gevoel geeft na een lange, inspannende dag...'

'Dawn?' zegt Mel, die me onderbreekt. 'Waar de fuck heb je het over?'

'Nou,' zeg ik. 'Dan moet je je toch weer wassen? Ik bedoel, je hebt jezelf opgekrikt met de guarana-douchegel, maar daarna heb je dat weer ongedaan gemaakt met de ontspannende mimosa-shampoo. Dus moet je je weer met de guarana-douchegel wassen om jezelf weer wakker te krijgen.'

'Oké,' zegt Mel. 'En daarom kom je te laat op school?'

'Precies.'

'Shit,' zegt Taylor tegen Mel terwijl ze haar hoofd schudt. 'Als ze al zo is voor ze iets met cafeïne erin heeft gedronken, moet je je voorstellen hoe ze is nadat ze dat gedronken heeft.'

Ik kijk naar het glas in mijn hand.

Er zitten geen belletjes meer in.

Ik breng het glas naar mijn mond en neem een slokje.

Het smaakt oké. Zoet en stroperig. Beetje fruitig, maar niet specifiek. Ik bedoel, het heeft niet de smaak van één vrucht in het bijzonder, gewoon fruitig in het algemeen. Een beetje als Red Bull, geloof ik (zoals Taylor zei). Wat prima is.

'Oké?' vraagt Taylor.

'Ja, niet slecht.'

'Goed zo.' Ze heft haar glas. 'Proost dan maar.'

En ze drinkt van haar wodka en Mel van de hare en beiden glimlachen naar me (Mel een beetje triest) als ik mijn glas nog een keer pak en het in één keer leegdrink.

Als ik het lege glas op mijn bureau zet en me naar Taylor en Mel keer, zie ik Jezus achter hen rechtop zitten, met zijn kop stil en zijn kleine oogjes op de mijne gericht, en heel even – een oneindig lijkend moment – is het een andere tijd, een andere Dawn, een andere Jezus.

Een andere tijd.

(Jezus zat toen rechtop, net zoals nu, met precies dezelfde blik in zijn bruine hondenogen (*ik kan je niet helpen*) en ik had zo'n medelijden met hem. Omdat honden nooit dingen weten, ze niet begrijpen, niet weten waarom iets is zoals het is. Alles wat ze weten is goed, slecht en verdrietig. En Jezus wist dat het slecht was, maar ik wilde niet dat hij een slecht gevoel had vanwege mij. En terwijl de muziek verder speelde

(ben je gewassen in het bloed van het lam?)

hoorde ik een trillende stem zeggen: 'Het is goed, Jezus. Het is al goed.')

'Oké dan,' zegt Taylor met een wilde grijns in haar handen klappend (alsof het feest zojuist is begonnen). 'Wie wil er een grote opknapbeurt?'

Ik ben er nog even niet helemaal bij, nog steeds een beetje in de ban van de herinnering aan Jezus' ogen, dus kan ik niks uitbrengen, of iets tot me laten doordringen, maar terwijl Jezus zich met zijn ogen nog steeds op de mijne gericht weer op het bed laat zakken ben ik me er vaag van bewust dat Taylor haar schoudertas openritst en er een paar plastic zakjes vol spullen uithaalt.

ik kan je niet helpen

Ik weet het,' zeg ik tegen Jezus. 'Het is al goed.'

'Wat is goed?' vraagt Taylor.

kijk naar haar, hou haar in de gaten

Ik kijk Taylor aan. 'Wat?'

Ze fronst haar voorhoofd. 'Tegen wie heb je het?'

'Wat?'

'Tegen wie praat je?'

'Wanneer?'

'Nu... zonet...'

Ik kijk haar onnozel aan – zo van, waar heb jij het over? Tegen wie dacht jij dat ik het had? – en zeg: 'Ik heb het tegen jou.'

Ze kijkt me aan.

Ik glimlach, zonder te weten waarom. 'Wat heb je daar?' vraag ik met een blik op de plastic zakjes die ze uit haar schoudertas heeft gehaald.

Ze aarzelt even, nog net zo in de war door mijn gedrag als ikzelf, dan schudt ze haar hoofd, zet het van zich af, en laat me zien wat er in de zakjes zit.

'Dit,' zegt ze, 'is voor jou.'

Ik kijk toe terwijl ze een van de zakjes ondersteboven houdt en de inhoud op het bed leegschudt. Het zijn kleren. Meisjeskleren.

En nu ben ik degene die in de war lijkt.

'Wat is dat?' vraag ik.

Terwijl Mel een piepklein felroze T-shirtje oppakt en het voor mij ophoudt, zegt Taylor: 'Wat denk je? Vind je het wat?'

Op de voorkant staat met lovertjes *ROCK'N'ROLL STAR.*

'Wat is het?' vraag ik nog een keer.

'Je nieuwe look,' zegt Taylor. En vervolgens, tegen Mel: 'Laat haar de rok eens zien.'

Mel houdt een korte spijkerrok omhoog en beweegt die heen en weer.

'Het zal je fantastisch staan,' zegt Taylor met een grijns naar mij. 'Het is het helemaal.'

'Ik kan het niet volgen,' zeg ik. 'Wat bedoel je?'

'Je krijgt van ons een make-over,' zegt ze, terwijl ze in de andere tas graait. 'Een heel nieuwe look.' Ze haalt een stapel spullen uit de tas en laat ze op het bed vallen. Flesjes, sprays, een make-uptasje. 'Zie je dat?' zegt ze. 'Nieuwe kleren, nieuw haar, een nieuw gezicht...' Ze lacht. 'Je wordt een splinternieuwe Dawn.'

'Waarom?' mompel ik, terwijl ik van Taylor naar Mel kijk. 'Ik bedoel... waarom?'

'Precies wat jij nodig hebt,' zegt Taylor terwijl ze overeind komt. 'Je zult ervan opknappen. Het geeft je een goed gevoel over jezelf.'

'Ja, maar...'

'We vonden je een beetje down,' zegt Mel. 'Weet je nog, gisteren... leek je je een beetje ellendig te voelen.'

'Klote,' stemt Taylor in.

'Over je vader en zo.'

'Ja,' zegt Taylor terwijl ze op me af loopt met de fles Revolver in haar hand. 'Dus vonden we dat we je een beetje op moesten peppen. Hier, neem nog wat.' Ze pakt mijn lege glas, schenkt het vol en geeft het aan mij.

Ik pak het aan.

'Drink op,' zegt ze.

Ik drink het op.

'Oké,' zegt ze met een duivelse grijns. 'We gaan je eens flink onder handen nemen, meid.'

happy when it rains (2)

Vraag: Waarom laat je mensen dingen met je doen die je niet wil? Waarom zeg je niet gewoon: nee, ik wil niet dat je dat doet? Ik bedoel, hoe komt het dat je niet voor jezelf opkomt? Ben je bang? Bang om uitgelachen te worden? Bang voor conflicten? Bang om niet aardig te worden gevonden? Of is het gewoon zwakte? Een karakterfoutje, een gebrek aan zelfvertrouwen, een gebrek aan lef?
Waarom ben je zo gedwee?
Antwoord: Ik weet het niet. Ik weet niet waarom ik die dingen laat gebeuren.

Maar misschien denk ik soms gewoon, zoals nu (terwijl de gitaren ronken en het slagwerk dreunt en Taylor en Mel hun sigaretten roken, wodka drinken en praten en lachen en rondom me op de muziek mee bewegen)... dat dit gewoon de makkelijkste manier is.

Makkelijker dan nee zeggen.

En daarbij is het niet zo moeilijk om hier alleen maar op bed te zitten, dat fruitige bubbeldrankje te drinken, en me door de muziek te laten meeslepen terwijl Taylor en Mel aan mijn haar en mijn gezicht frunniken. Het voelt eigenlijk wel goed.

'Stilzitten,' zegt Taylor.

Ze doet iets met mijn ogen, strijkt er een spulletje op, maakt ze op (ze heeft al lippenstift bij me op gedaan en spul op mijn wangen gesmeerd). Mel is achter me, ze zit geknield op het bed en friemelt aan mijn haar. Ik weet niet wat ze doet, maar het voelt heel lekker. En ik zie haar in de spiegel aan de muur tegenover me en kennelijk vindt ze het leuk, en dat geeft me ook een goed gevoel.

Buiten giet het nog steeds van de regen, een kil en akelig geluid, en ik ben blij dat ik hierbinnen zit, in mijn droge beschutte kamer. Ik heb een lekker warm gevoel in mijn buik.

'Dit zou je altijd moeten doen,' zegt Mel.

'Wat?'

'Jezelf verzorgen.' Ze haalt een borstel door mijn haar. 'Het kost weinig moeite en het maakt zoveel uit. Je zult ervan opkijken hoeveel beter je je voelt als je er goed uitziet.'

Ik begin mijn hoofd te schudden.

'Zou je stil willen zitten?' valt Taylor uit.

'Sorry.' Ik kijk in de spiegel naar Mel. 'Het is zonde van de tijd.'

'Wat?'

'Proberen er leuk uit te zien; het is zinloos.'

'Waarom?'

'Je weet best waarom. Ik bedoel, moet je mij zien...' Ik kijk met weerzin naar mijn spiegelbeeld, en ondanks mijn nieuwe coupe en mijn gestifte lippen en mijn (het moet gezegd) heel aantrekkelijk uitziende ogen (waarvan ik moet toegeven dat ze er ongelooflijk uitzien) kan ik mezelf nog steeds alleen maar zien zoals ik ben: een bolle troel in zakkige zwarte kleren.

Rond hoofd, korte, dikke benen, korte, dikke armen, vetrollen...

Dat is wat ik ben.

Zo ben ik.

'Niet zo slecht over jezelf denken,' zegt Mel.

'Dat doe ik niet...'

'Ja, dat doe je wel. Ik bedoel, oké, je bent niet bepaald een Kylie Minogue, maar je hebt wel een heleboel sterke punten.'

'O ja?' zeg ik lachend. 'Zoals?'

Ze gaat achterover zitten en bestudeert me in de spiegel. Je hebt een leuk gezicht, mooie ogen, een prima huid...'

'Ja,' valt Taylor bij, nog steeds bezig met mijn ogen. 'Een ongelooflijk goede huid mag je wel zeggen.'

'Geldt ook voor haar haar,' zegt Mel. 'Hoeft alleen maar goed in model geknipt te worden.' Ze glimlacht naar me. 'En wat de rest betreft...'

'Ja, juist,' zeg ik. 'De rest van mij. Spijker op de kop.'

'Wat bedoel je?' vraagt Mel.

'Wat denk je dat ik bedoel?'

'Ze vindt zichzelf dik,' zegt Taylor droog tegen Mel. Mel kijkt me kwaad aan. 'Godallemachtig, je bént niet dik.'

'Nee?'

'Nee.'

'Ja, nou, mager ben ik niet, hè?'

'Nou en? Dat je niet mager bent wil nog niet zeggen dat je dik bent. Ik bedoel, kijk eens naar jezelf...' Ze legt haar handen op mijn schouders en trekt me zachtjes achteruit, zodat ik rechtop zit, dan gaat ze met haar handen over mijn rug en trekt tegelijk de stof van mijn zakkige oude Jesus and Mary Chain T-shirt een beetje naar achteren, waardoor het strakker aansluit. 'Daar,' zegt ze en ze kijkt (bijna triomfantelijk) naar mij in de spiegel. 'Zie je dat? Ik bedoel moet je die rondingen zien... ik ken meisjes die een moord zouden doen voor zo'n lijf. Je moet gewoon ophouden met het te verstoppen, meer niet.'

Terwijl ik naar mezelf in de spiegel kijk en de vorm van mijn lichaam bestudeer – de ronding van mijn buik, de onvertrouwde contouren van mijn borsten – trek ik onwillekeurig alles in twijfel.

Ik bedoel, rondingen? Is dat wat het eigenlijk zijn? Of word ik hier voor de gek gehouden? Staan Taylor en Mel een act op te voeren? Slijmen ze me met lieve woordjes en valse complimenten?

Om me het gevoel te geven dat ik er niet zo slecht uitzie als ik denk.

Vraag: waarom zouden ze dat doen?
Antwoord: waarom niet?

Maar als ze dat doen, als ze alleen maar een act opvoeren, dan:

Vraag: hoe komt het dan dat je je lekker voelt? Ik bedoel, hoe komt het dat je het echt fijn vindt? Hoe komt het dat je het fijn vindt om daar naar jezelf in de spiegel te zitten kijken, met Mel achter je die je T-shirt strak trekt.
Antwoord: ik weet het niet. Ik weet niet waarom ik me lekker voel.

Maar misschien komt het gewoon doordat ik soms, zoals nu (terwijl de gitaren ronken en het slagwerk dreunt en Mel mijn T-shirt loslaat en Taylor opstaat om nog eens op te steken en mijn glas bijvult)... dat ik misschien gewoon behoefte heb om me lekker te voelen.

En ik voel me lekker.

Maar dan geeft Taylor me het glas en zegt: 'Oké, giet dat naar binnen en trek dan je kleren uit,' en terwijl ze daar op me neer staat te grijnzen, lijkt de wereld even stil te staan (tenminste, die van mij), en voel ik me ineens niet meer zo lekker, en kan ik alleen maar in stom ongeloof Taylor met wijd open ogen en openhangende mond aankijken.

Heb ik het me verbeeld?

Of zei ze daarnet echt dat ik mijn kleren moest uittrekken?

'Niks aan de hand,' zegt Mel die zachtjes moet lachen om de uitdrukking op mijn gezicht. 'Kijk niet zo ongerust.' Ze graait het roze T-shirt en de spijkerrok bij elkaar en laat ze in mijn schoot vallen. 'Vooruit,' zegt ze. 'Kijk of ze passen.'

Ik werp een blik omlaag, staar dom naar de flinterdunne kleren en kijk dan omhoog naar Taylor.

Ze staat naar me te grijnzen, ze geniet van mijn verlegenheid, maar ik weet dat ik nergens verlegen om hoef te zijn... ik bedoel, ik heb haar niet verkeerd verstaan of begrepen toen ze zei dat ik mijn kleren moest uittrekken. Ik trok niet de verkeerde conclusie of zo. Ik raakte alleen maar in de war. En Taylor weet dat en weet dat ik het weet. En dat maakt het alleen maar erger.

'Wat is er?' vraagt ze onschuldig.

'Niks,' zeg ik (met zoveel ónverlegenheid als ik maar kan opbrengen).

Ze grijnst weer. 'Oké.'

Omdat ik niks beters weet te doen, neem ik een vrij grote slok uit mijn glas. Het smaakt nu een beetje anders, misschien een beetje minder fruitig, een beetje meer... ik weet niet. Een beetje meer als iets anders. En ik kom in de verleiding om iets te zeggen – zoals: is dit hetzelfde als wat ik hiervoor dronk? – maar Taylor kijkt nog steeds op me neer (letterlijk en figuurlijk), en ik wil niet dat ze nog meer heeft om laatdunkend over te doen. En waarschijnlijk ben ik trouwens alleen maar overgevoelig voor de smaak – en verkeren mijn smaakpapillen onder invloed van de door de verlegenheid veroorzaakte adrenaline. Dus zeg ik niks, kiep het glas achterover en kijk dan naar de kleren in mijn schoot.

Ze zijn me veel te klein.

Ze zien eruit als iets wat je een Bratzpop zou aantrekken.

'Toe dan,' zegt Taylor, met haar kin naar de kleren wijzend. 'Waar wacht je op?'

Ik schud mijn hoofd. 'Ik denk niet dat ze me passen.'

'Ja hoor, die passen wel,' zegt Mel. 'Ze zitten alleen een beetje strakker dan wat je meestal aan hebt, meer niet.'

Taylor lacht. 'Een beetje strakker?' Ze steekt haar hand uit en trekt laatdunkend aan de voorkant van mijn T-shirt. 'Ik bedoel, shit, een tent zit nog strakker dan dit.'

'Hij moet ruim zitten,' protesteer ik.

'Dat is niet rúím,' zegt ze. 'Dat is zakkerig. En dat daar...' Ze geeft een mep tegen mijn verschoten oude combatbroek. 'Dat is de grootste broek die ik ooit heb gezien. Die zou een kamerolifant nog wijd zitten.' Ze schudt haar hoofd. 'Who the fuck zal willen weten wat je daar in hebt zitten?'

'Ik wil niet dat iemand te weten komt wat ik daar in heb zitten,' zeg ik. 'Ik draag hem omdat ik hem graag aan heb. Hij zit lekker...'

'Lekker?' smaalt Taylor. 'Daar zijn kleren niet voor. Het zijn verdomme geen leunstoelen.'

'Nou, ja...' zeg ik.

En nu krijg ik een beetje de pest in over mezelf, omdat ik zo chagrijnig klink, alsof al dat stomme gedoe me echt dwarszit. Wat natuurlijk niet zo is.

Nogal logisch.

'Toe nou, Dawn,' zegt Mel lachend, terwijl ze achter me langs schuift en naast me gaat zitten. 'Probeer het gewoon. Trek ze aan. Ze staan je vast fantastisch.'

Ik neem nog een slok van mijn beetje-eigenaardige-maar-eigenlijk-best-lekker-smakende drankje. 'Ik wil er niet fantastisch uitzien,' zeg ik.

'Ja, dat wil je wel. Iedereen wil er fantastisch uitzien.' Ze legt haar hand op mijn knie. 'Ik bedoel, we willen toch allemaal gezien worden?'

Ik kijk naar haar hand.

Hij is klein, kleiner dan ik gedacht zou hebben (als ik ooit over de grootte van haar hand zou hebben nagedacht, wat niet zo is).

Ze heeft afgekloven nagels.

Een simpele zilveren ring om haar middelvinger.

Ze heeft verbleekte witte littekens op haar onderarm.

'Moet je horen,' zegt Taylor (nu iets minder spottend). 'We proberen je alleen maar te helpen. Ik bedoel, waar het om gaat is dat als je in die kleren rond blijft lopen... je weet wel, als een of andere slonzige oude zwerfster, je je hele leven alleen aandacht zult krijgen van wanhopige jongens met witte stokken en hulphonden.' Ze grijnst. 'Is dat wat je wil?'

Ik grijns terug en voel me plotseling weer verbazend goed.

'Ik ben ooit met een blinde jongen uit geweest,' zeg ik. 'Hij was eigenlijk best aardig. Tot hij me liet vallen.'

Taylor kijkt een beetje verbluft. 'Ben jij gedumpt door een blinde kerel?'

'Ja... maar dat was eigenlijk mijn eigen schuld. Ik stal zijn hond.'

'Jij wat?'

'Ik stal zijn blindengeleidehond.'

'Waarom?'

'Nou, het was een heel leuke hond – een zwarte Duitse herder – en ik wilde hem gewoon hebben. En die jongen was blind, snap je... Ik bedoel, wat moet een blinde beginnen als je zijn hond steelt? Hij kan er moeilijk naar gaan lopen zoeken, hè?'

'Dus heb jij echt zijn hond gestolen?' vraagt Mel.

'Ja.'

'Wat deed hij?'

'Wie, de hond?'

'Nee, de blinde.'

'Hij stuurde zijn moeder op ons af, en die nam de hond mee terug.' Ik haal mijn schouders op. 'Ik zei nog dat ik hem alleen maar even wilde lenen, maar ik denk niet dat ze me geloofde.'

'En heeft hij je daarom gedumpt?' vraagt Taylor. 'Omdat je zijn hond hebt gestolen?'

'Ja.'

Mel kijkt me aan. 'Echt waar?'
'Ja.'
'Is dat echt gebeurd?'
Ik kijk haar een tijdje aan en moet lachen om de verbijsterde uitdrukking op haar gezicht, en schud dan mijn hoofd en zeg: 'Nee hoor, niet echt. Ik heb het maar verzonnen.'
'Denk je dat je leuk bent?' zegt Taylor.
Ik haal weer mijn schouders op. 'Niet echt.'
Ze schudt haar hoofd. 'Ik snap niks van jou.'
'Er valt niks te snappen.'
'O nee?'
We kijken elkaar aan.
Ze steekt een sigaret op, nipt van haar wodka.
Ik neem een slok uit mijn glas.
En zij zegt: 'Misschien wil je niet dat de kerels naar je kijken.'
'Het boeit me niet echt...'
'Misschien is het waar wat ze over je zeggen.'
'Wat zeggen ze?'
'Je weet wel... wat ze op school naar je roepen: pot, lesbo, vingerplant...'
'Die ken ik niet.'
Ze lacht naar me. 'Ik zit je niet op te naaien hoor... ik heb er geen mening over of zo. Ik bedoel, Mel en mij kan het geen fuck schelen wat je bent.' Ze grijnst naar Mel. 'Toch, schat?'
'Nee,' zegt Mel glimlachend. 'We zijn heel ruimdenkend.'
Dan valt er een stilte, even een raar moment waarop we elkaar alleen maar aankijken en er is een vluchtig besef van echte (en totaal niet seksueel getinte) intimiteit tussen ons, en het voelt zo goed dat we, één seconde lang, allemaal even zuchten van stil genot.
En dan is het moment alweer voorbij.
Maar toch, het was er.

En wat er gebeurd is kan niet ongedaan worden gemaakt.

'Dus,' zegt Taylor (een beetje ongemakkelijk), trekkend aan haar sigaret, 'trek je die kleren nou nog een keer aan of hoe zit het?'

Ik zucht en weet al wat ik ga zeggen, omdat het gewoon laten gebeuren de makkelijkste oplossing is, makkelijker dan nee zeggen, en behalve dat...

Is er niks.

Ik kijk naar Mel en die zegt: 'Wat is er? Voel je je goed?'

'Wat?'

'Of je je goed voelt?'

'Ja... ja, prima.' Ik glimlach. 'Ik ben verlegen.'

'Sorry?'

'Dan moeten jullie de kamer uit. Als je wilt dat ik die kleren aantrek, bedoel ik. Ik kleed me niet graag uit waar andere mensen bij zijn.'

'Hoe dat zo?' zegt Taylor grinnikend. 'Denk je dat we onze lustgevoelens niet in bedwang kunnen houden bij het zien van je blote lijf?'

Ik kijk haar aan, en heel even lijkt het of ik niet kan focussen. Ik sluit mijn ogen, open ze weer en probeer het dan met één oog. En dat werkt. Ik zie haar nu heel duidelijk.

'Wat?' zeg ik.

Ze schudt haar hoofd. 'Ik zei denk jij dat wij onze lustgevoelens...'

'Kom op, Tay,' zegt Mel terwijl ze overeind komt. 'Godallemachtig, geef dat kind een beetje privacy. Laat haar zich in alle rust verkleden.' Ze geeft een ruk met haar hoofd naar de deur. 'Kom op, ik moet trouwens plassen.'

'O, ja...' zegt Taylor. 'Oké.'

En als ze met zijn tweeën naar de deur lopen, vraag ik me af of het aan mij ligt (in mijn wazige toestand), of dat de toon waarop

Taylor 'O, ja... oké' zei, de toon was van iemand die net een knipoog van verstandhouding had gekregen?

'Is vijf minuten oké?' vraagt Taylor.

'Sorry?'

'Is vijf minuten lang genoeg om je om te kleden?'

'Ja... ja, prima.' Ik kijk haar aan. 'Jullie gaan alleen naar de wc, toch?'

'Ja.' Ze kijkt me onderzoekend aan. 'Is dat een probleem?'

'Nee, natuurlijk niet...'

Wat, strikt genomen, de waarheid is. Ik heb er geen probleem mee dat zij naar de wc gaan. Maar waar ik wel een probleem mee heb is het idee dat ze met mam zullen praten. Ik wil niet dat ze met haar praten. Maar als ik zeg dat ze dat niet moeten doen, zullen ze waarschijnlijk denken dat:

(1) ik me voor hen schaam.

Of (2) dat ik me voor mam schaam.

En ik wil niet dat ze een van beide denken. Omdat het niet waar is.

Ik wil gewoon niet dat ze met mam praten omdat...

Gewoon daarom niet.

'Zie je zo, dan,' zegt Taylor.

Ze loopt de kamer uit, gevolgd door Mel en een paar seconden later springen Jezus en Maria van het bed en lopen achter hen aan de trap af. Even vraag ik me af of ik Taylor en Mel achterna moet roepen: 'Mijn moeder voelt zich momenteel niet zo goed, dus stoor haar maar niet.' Maar tegen de tijd dat ik het bedacht heb, zijn ze al beneden en waarschijnlijk zouden ze zich toch niks van me hebben aangetrokken...

Dus zit ik nu in mijn eentje en kijk ik in de spiegel naar Dawn Bundy als slet, en even valt er een vreemd ongemakkelijke stilte tussen ons. Het soort stilte dat je krijgt als je met jezelf alleen bent en je ineens intens bewust wordt van het feit dat jij jíj bent. Dat je het enige wezen bent dat zich daarvan bewust is. Dat je dat vreselijke ding in de spiegel bent.

Een seksobject.

Een meisje.

Dat je Dawn Bundy bent.

god help me (3)

Ik heet Dawn Bundy.

Ik ben dertien jaar.

Ik heet Dawn Bundy.

Ik wil niks drinken, pap. Hoef ik alsjeblieft niet. Ik vind de smaak niet lekker. Ik vind het niet prettig wat het met jou doet. Ik wil niet dat je zo bent: ladderzat, geestelijk en lichamelijk een wrak, en steeds weer die enge psalm draait. Alsjeblieft, pap, niet huilen.

Ik wil niet dat je huilt.

Ik kan er niet meer tegen.

Dus pak ik het glas wel aan uit je bevende hand en drink ik wat je wilt dat ik drink, omdat het laten gebeuren het makkelijkst is.

God sta me bij.

head (2)

Als ik van bed opsta en uit mijn kamerolifantenbroek stap, moet ik met mijn rug naar de Dawn Bundy in de spiegel gaan staan, omdat wie die Dawn Bundy ook is (die in de spiegel) en waar ze ook denkt mee bezig te zijn, ik wil niet zien dat ze kijkt. Ik wil haar taxerende blik niet voelen terwijl ik als een gigantische idioot rondstrompel en probeer mijn broek uit te krijgen zonder om te vallen. Ik wil niet zien dat ze haar hoofd schudt en zegt: Wat denk jij verdomme dat je aan het doen bent? terwijl ik mezelf in een belachelijk kort spijkerrokje pers.

Ik wil mezelf niet zien door haar ogen.

Ik wil niet mezelf zijn.

Ik trek het niet.

(i walk away
from your head)

Het kost verrassend weinig moeite om het rokje aan te krijgen. Het is een beetje een gedoe om het over mijn dijen omhoog te wurmen, maar als het eenmaal zo ver is... past het helemaal niet slecht. Ik bedoel, het zit strak – veel strakker dan ik gewend ben – en ik heb absoluut het kleine riempje dat erbij zit niet nodig om het op zijn plek te houden, maar het zit niet verschrikkelijk strak of zo. Het snijdt niet in mijn vel. En, wat nog verbazender is, het ziet er best leuk uit (en het voelt ook zo). Ik kijk weliswaar nog steeds niet in de spiegel, en zie het dus alleen van bovenaf en zie dus waarschijnlijk niet de rauwe realiteit van mijn mollige witte benen onder een heel kort strak rokje, maar dan nog...

Onwillekeurig moet ik lachen.

Maar mijn lach voelt raar. Heel slap, alsof mijn lippen slap hangen. En misschien hangt mijn tong ook een beetje naar buiten. En mijn tanden voelen te groot.

'Jezus,' hoor ik mezelf zeggen.

Ik hoor dat ik brabbel.

En besef dat ik hier gewoon naar de vloer sta te kijken maar dat alles lijkt te bewegen: mijn hoofd, de vloer, de muren, de muziek...

En denk...

Waar doe je het allemaal voor?

Ik wil niet denken. Ik wil dit gewoon doen, wat het ook is. Ik wil het gewoon laten gebeuren. En dus doe ik dat, ik laat het gebeuren. Ik doe dit. Ik sta met mijn rug naar de spiegel mijn oude slobber-T-shirt uit te trekken en begin net dat piepkleine felroze shirtje over mijn hoofd te trekken als de kamerdeur ineens openzwaait en Mel terug naar binnen struint.

'Jeéétje, wat ziet dat er goed uit,' zegt ze met een brede glimlach.

En plotseling ben ik versteend, in paniek, slaat mijn hart op hol, omdat Mel me kan zien. Ze ziet mij halfnaakt. En dat wil ik niet. Ik verdraag het niet. Het is te erg. Dus moet ik me omdraaien, mezelf voor haar verbergen, en moet ik met één arm proberen mijn lijf te bedekken terwijl ik ondertussen wanhopig het T-shirt omlaag probeer te trekken...

'Alles oké?' vraagt Mel beduusd. 'Wat heb je?'

'Niks,' mompel ik, worstelend met het T-shirt. 'Ik probeer alleen... probeer alleen dit aan te trekken...'

'Kom hier,' zegt ze, terwijl ze naar me toe loopt. 'Laat mij je helpen.'

'Nee...' zeg ik en ik draai me nog verder van haar weg.

'Doe niet zo stom,' zegt ze met een zucht, terwijl ze haar hand uitsteekt en op mijn rug legt. 'Wat geeft het nou...'

'NEE!'

De schreeuw ontsnapt me als haar hand mijn huid raakt. Hij komt vanzelf. Haar hand is ijskoud, gloeiend heet... een elektrische schok van duizend volt, die dwars door me heen vlamt, me de kamer door slingert, en terwijl ik wegkruip tegen de muur en jammer als een klein kind, blijf ik maar met moeite overeind.

'Dawn?' fluistert Mel angstig. 'Wat is...?'

'Raak me niet aan!' hoor ik mezelf door opeengeklemde tanden sissen.

'Ik wilde alleen maar...'

'NIET DOEN!'

'Ja, oké,' mompelt ze. 'Goed...'

Ik voel dat ze achteruitdeinst en ik hoef haar gezicht niet te zien om te weten dat ze me met grote ogen in afschuw aanstaart. Ik ben een raar in paniek geraakt wezen, een krijsende krankzinnige die zich zielig tegen de muur aan drukt, een maniakale vetzak in gevecht met een piepklein roze T-shirtje...

Afschuw is een terechte reactie.

(the beat of your heart
your cold empty heart)

Ik heb het T-shirt nu bijna aan. En al stelt het niet veel voor en bedekt het me maar voor een deel (eigenlijk laat het meer bloot dan dat het bedekt), heeft het toch iets – het gevoel van stof op mijn huid – wat me weer min of meer een gevoel van veiligheid geeft. Ik ben nu aangekleed. Al zijn mijn armen bloot, zie je mijn blote buik... en kijk ik tegen een onbekende (en licht ontstellende) hoeveelheid decolleté aan. Maar ik ben tenminste aangekleed. En daardoor voel ik me op de een of andere manier veiliger.

Ik kan nu weer normaal ademhalen.

Het duizelt me niet meer zo.

Het brengt de paniek in mijn hart tot bedaren.

‘Het spijt me, Dawn,’ zegt Mel zacht. ‘Ik wilde niet...’

‘Nee, het is al goed,’ zeg ik, terwijl ik recht ga staan. ‘Het ligt aan mij... het komt gewoon doordat...’

Ik haal diep adem, blaas langzaam uit en dwing mezelf me om te draaien en Mel aan te kijken. En wat ik zie is nogal verrassend. Ik bedoel, er staat wel iets van afgrijzen in haar ogen, waarvan ik wist dat het er zou zijn, maar lang niet zo erg als ik dacht. Eigenlijk is het zo vaag dat als ik er niet naar zou zoeken, ik het misschien niet eens zou zien. Maar wat ik wel zou zien (en wat ik zie) is iets dat op bezorgdheid lijkt.

‘Sorry,’ zeg ik en ik probeer een lachje. ‘Ik bedoel, sorry als ik je liet schrikken... het komt gewoon door....’

‘Laat maar,’ zegt Mel, ook met een lach. ‘Je hoeft het niet uit te leggen.’

Ik schud mijn hoofd. ‘Het komt gewoon doordat ik een beetje... ik weet niet. Ik reageer geloof ik een beetje raar op dingen...’

‘Geeft niet,’ zegt Mel. ‘Ik snap het wel.’

‘O ja?’

‘Ja, ik denk van wel.’

En dan hebben we weer zo’n moment samen – een moment van stilte waarbij we elkaar aankijken, niet weten wat we moeten zeggen, of dat we iets moeten zeggen – en heel even lijkt alles in orde. Mijn hoofd is helder, de vloer beweegt niet meer, de muziek is fluwelig zacht en volmaakt

(hey hey hey
want you to stay)

en dan komen Jezus en Maria, doornat van de regen, binnendraven en schudden zich alle twee uit (even zinloos als altijd) en moet Mel om ze lachen, stopt daar vervolgens mee, en kijkt op als Taylor naar binnen kuiert.

En die werpt één blik op mij en zegt: 'Wauw! Wie is dat stuk?'
En dat was het eigenlijk zo'n beetje.
De vloer begint weer te bewegen, draait rond mijn voeten, en mijn hoofd draait mee en al het andere – de kamer, de muren, het raam, het plafond... de lucht, de wereld, de luchtbel waarin ik leef – alles lijkt langzaam op te lossen in een wervelende-kolkende-ronddraaiende mist van stemmen, muziek, beweging en tijd.

Ik herinner me nog wel iets...

Dat Taylor helemaal om me heen loopt, om me heen draait, me van boven tot onder bekijkt, knikt en goedkeurend glimlacht – 'Zo, hé... je ziet er fantastisch uit!' – alsof ik het achtste wereldwonder ben of zo. En ik weet dat ze me belazert, maar het kan me niet schelen. Omdat ik naar mezelf in de spiegel kijk en omdat wat ik zie me zowaar bevalt. Natuurlijk weet ik dat ik dat niet ben. Ik weet dat het maar een opgemaakt gezicht is en een onaantrekkelijk lijf dat in een kort spijkerrokje en een felroze T-shirt is geperst (met *ROCK 'N' ROLL STAR* in lovertjes op de voorkant), maar het is iets met een waarneembaar figuur. Een vrouwelijk, meisjesachtig en (desnoods) rond figuur.
En het bevalt me.
Het bevalt me ook dat Taylor voor ons allemaal wat inschenkt en haar glas heft en zegt: 'Proost, lekker ding!'
En Mel lacht naar me en zegt: 'Proost!'
En alle twee drinken ze in een keer hun glas leeg.
En het zou onbeleefd van me zijn als ik niet hetzelfde zou doen, dus klok ik mijn glas ook naar binnen en begin onmiddellijk te hoesten en te kokhalzen. Omdat het niet meer fruitig smaakt. Het smaakt als vloeibare hitte.
'Jezus!' zeg ik proestend, terwijl ik wat lucht in mijn longen probeerde te krijgen. 'Wat zit er verdomme...'

'Je hebt een beha nodig,' zei Taylor.

'Huh?'

'Een fatsoenlijke beha,' zegt ze en ze loopt op me toe met haar ogen op mijn borst gericht. 'Ik bedoel, waar heb je verdomme dat ding vandaan wat je aan hebt... uit de kringloopwinkel?'

Ik kijk omlaag en besef dat mijn beha zichtbaar is onder het flinterdunne T-shirt. 'Wat mankeert eraan?' vraag ik.

'Alles,' zegt Taylor. 'Om te beginnen is hij je te groot. Finaal de verkeerde maat. En hij is antiek... ik bedoel, moet je kijken...' Ze steekt een hand uit en voelt aan een schouderbandje . Ik deins achteruit. 'Hij voegt niks toe,' gaat ze door. 'Je moet er een hebben die wat je in huis hebt voordelig uit laat komen. Dit ouwe lor doet niks voor je.' Ze lachte. 'Hij heeft geen sexappeal.'

'Het is die van mijn moeder,' mompel ik.

'Van je moeder?'

'Ja. Die van mij zijn allemaal...'

'Jezus! Draag je de beha van je moeder?'

'De mijne zitten allemaal in de was.'

'Shit!' zegt ze en ze schudt vol walging haar hoofd. 'Niet te geloven. Dan heb je zoveel geld en dan draag je nog de fucking beha van je moeder...'

'Wat voor geld?'

'Wat?'

'Wat voor geld?' zeg ik nog een keer.

Ze staart me een moment aan, haar ogen uitdrukkingsloos en dan – met een eigenaardig vertoon van slecht gespeelde bravoure – steekt ze een sigaret op en blaast de rook uit. 'Dit allemaal,' zegt ze en ze gebaart met haar hand de kamer rond naar al mijn spullen. 'Ik bedoel, je kunt je dit allemaal permitteren, maar er kan geen fatsoenlijke beha af... dat wil ik ermee zeggen.' Ze lacht. 'Het is goed besteed geld, Dawn. Echt waar, je zou versteld staan... Ik bedoel, kijk mij.' Ze recht haar rug en duwt haar borst vooruit. Ik wil niet kijken, maar zie geen uitweg. Dus werp ik een blik op haar borst en zie twee volmaakte borsten behaaglijk in haar zwarte haltertopje zitten.

Het is een *Secret Embrace*,' zegt Taylor trots. 'Duwt je borsten omhoog, laat je tieten er geweldig uitzien.' Ze begint haar topje uit te trekken. 'Wil je het zien? Je mag hem proberen als je wilt. Hij is je waarschijnlijk een beetje te klein...'

En voor ik het weet, staat Taylor daar, recht voor mijn neus, haar sexy zwarte beha te showen, een en al sierlijke kant en zachtheid, en plotseling versteen ik weer, raak ik in paniek, gaat mijn hart als een gek tekeer, omdat ik haar kan zien. Ik zie haar halfbloot. En ik weet niet of ik het aangenaam vind of niet. Ik weet niet of ik het kan verdragen. Dus moet ik wel wegkijken, mijn ogen voor haar verbergen, en moet ik proberen niet overal zo angstig van in de war te raken...

'Wat heeft zij nou?' vraagt Taylor aan Mel. 'Wat doet ze?'

'Niks aan de hand,' zegt Mel zacht. 'Doe gewoon je truitje weer aan.'

'Waarom? Ik liet haar alleen maar...'

'Doe het nou maar, Tay.'

Dat herinner ik me nog.

En dat ik nog meer drink.

En me weer oké begin te voelen.

En het praten over dingen – school, kleren, muziek, cafés, tv, roddel, mensen, geheimen – meest dingen waar ik niet echt om geef, of die ik niet begrijp of zelfs maar naar luister, maar het is oké. Gewoon wat geklets. Geklets. Meer niet. We kletsen maar wat. En de regen valt nog steeds met bakken uit de lucht, en de muziek speelt nog steeds

(off your head
off your head
hanging from your head)

en ik weet niet hoe laat het nu is maar het voelt knap laat, en ik voel me goed, ik voel me helemaal niet goed, ik voel me als een andere Dawn in een andere tijd... een andere Dawn, een seksobject, een dochter, een ding in een spelonk in mijn hoofd waar het koud is en donker en waar geen geluid is (*ben je gewassen in het bloed?*) en waar geen geluid is en ik probeer de spelonk zacht te maken als een kussen maar de meeste tijd is hij zo hard als steen om de monsters buiten te houden (*voerde hij iets in zijn schild?*) maar het kan me niet meer schelen. Niets kan me meer schelen omdat ik er niet meer ben niet meer ben niet meer ben niet meer ben niet meer ben ik luister niet (*wie?*) ik zeg niks ik raak buiten mezelf (*god sta me bij*) ik ben buiten mezelf (*je vader*) ik ben buiten zijn lichaam en ziel en ik luister niet (*je vader... voerde hij iets in zijn schild?*) nee nee nee...

Nee.

Er is geen <u>Reden nummer vier</u>.

Mijn vader...

Nee.

bleed me

Ik heet Dawn Bundy.
Ik ben dertien jaar.
Ik heet Dawn Bundy.

Het is een koude decemberavond twee jaar geleden en ik lig in bed, stevig gewikkeld in mijn oude witte badjas met Jezus en Maria bevend en trillend naast me. Ze zijn bang. En ik ook. Omdat pap beneden, compleet laveloos, mee jammert, kreunt en zingt met die vreselijke psalm

(ben je gewassen in het bloed van het lam?)

en het als waanzin klinkt.

Ik ben nog nooit bang geweest voor mijn vader, in wat voor staat hij ook was, omdat in wat voor staat hij ook verkeerde, hij altijd mijn vader is geweest, altijd zichzelf is gebleven, en we altijd van elkaar hebben gehouden.

Maar nu ben ik bang voor hem.

Omdat hij nu zichzelf niet is. Hij is mijn vader niet. Hij is iemand anders, iets anders geworden… ik hoor het aan zijn krankzinnige gekrijs, ik voel het, weet het.

Hij is eindelijk gezwicht voor zijn demonen.

(vertrouw je in dit uur vast op zijn genade?)

Nee.

Ik heet Dawn Bundy,
Ik ben dertien jaar.
Ik ben doodsbang.

Er is niemand anders thuis. Mam is ergens naartoe. Bij vrienden, op een feest, naar een nachtclub... weet ik veel. Ze had ruzie met pap. Ze ging weg. Ze is er niet. Ze kan me niet helpen.

Beneden gaat een glas aan diggelen.

Jezus jankt.

Maria siddert.

'Het is goed,' fluister ik tegen ze. 'Het is goed.'

Het is niet goed.

Het komt ook nooit meer goed.

De psalm staat nog op als pap mijn kamer binnenkomt. Bij het opengaan van de deur klinkt de muziek even harder

(als de bruigom komt, blinkt dan je kleed?)

en daarna weer zacht.

'Dawn?'

Zijn stem is donker, niet vertrouwd.

Ik doe alsof ik slaap.

Wankele voetstappen sloffen de kamer door.

'Dawn? Ben je wakker?'

Hij kan nauwelijks praten. Zijn woorden klinken als: Dorr...? Bewak?

Ik hoor hem stommelen, met zijn scheenbeen tegen het bed stoten.

'Shit.'

Ik hoor Jezus naar hem grommen, een angstige grauw.

'Wegwezen,' brabbelt pap tegen hem. 'Van het bed af... jullie alle twee.'

Ik voel hem met zijn arm naar Jezus en Maria maaien en ze onbeholpen (maar niet agressief) van het bed verwijderen. Ik voel ze er af springen. Ik voel hem zwaar op de rand gaan zitten. Ik hoor hem een slok van iets nemen.

En dan verzucht hij: 'God sta me bij.'

En ruik ik de vreselijke drankstank van zijn adem.

'Dawn?' zegt hij weer. En deze keer port hij me met zijn hand. 'Toe nou, Dawn, word eens wakker. Ik heb voor je gebeden.'

Hij heeft het ook over andere dingen – walgelijk idiote dingen over Jezus de Verlosser, Jezus de Gekruisigde... en hij praat over liefde en zonde en geloof en God – en hij huilt en hij kermt, en smeekt me om een slok uit zijn glas te nemen... en dan staat de wereld stil.

Alles is bewegingloos en dood.

En ik ben Dawn niet meer. Alleen maar een verlamd ding, lig doodstil, maak mijn lichaam zo hard als steen, probeer niet te voelen wat er gebeurt...

Maar ik voel het wel.

Meer weet ik niet te zeggen. Ik kan het moment niet doorleven. Het me niet herinneren.

Het doet pijn.

Ik moet ervan bloeden.

Ik moet ervan huilen.

Daarna, als ik met pijn en bebloed in bed lig (en al in mijn spelonk begin te kruipen), ben ik me alleen nog bewust van het geluid van pap die huilt als hij wankelend naar de deur strompelt.

De muziek van de psalm is gestopt.

Het huis is onnatuurlijk stil.

Mijn hart is dood.

'God vergeef me,' hoor ik pap snikkend uitbrengen als hij de deur opendoet en weggaat. 'O, God... vergeving alstublieft.'

darklands (2)

Hij heeft het maar één keer gedaan. Die ene keer op die koude decemberavond twee jaar geleden, twee weken voor hij het huis uitging en nooit meer terugkwam... daar bleef het bij.

Die ene keer.

(and i awake from dreams
to a scary world of screams)

En er is echt geen Reden nummer vier. Ik wil God wel vermoorden omdat hij mijn vader over de rooie heeft laten gaan en omdat hij hem in iets anders heeft veranderd, maar ik geef God niet de schuld van wat mijn vader mij aandeed, omdat ik niet geloof dat God daarachter zat. Ik weet niet wat wel.

Ik heb gewoon geen idee.

En er is geen Reden nummer vier omdat hij het bovendien niet gedaan heeft.

Niet míjn vader.

Een andere vader, de verdwaalde vader.

En hij deed het bij een andere ik.

Een andere Dawn.

De Dawn die in een spelonk woont.

(Het is een feit, een wetenschappelijk feit, dat elke cel in het menselijk lichaam zich na zeven jaar heeft vernieuwd. Elke afzonderlijke cel. Dat betekent dat wat ik nu ben totaal verschillend is van wat ik zeven jaar geleden was. En al verschilt wat ik nu ben maar voor twee zevende van wat ik twee jaar geleden was, is het

toch genoeg om van mij een andere ik te maken.
En dat is een feit.
Een wetenschappelijk feit.)

Natuurlijk weet ik dat ik mezelf hierover maar wat voor zit te liegen, en dat toen mam een paar dagen na die koude decemberavond naar me toe kwam en me (met angst in haar ogen) vroeg of alles in orde was… ik ook tegen haar heb gelogen.
'Ja,' zei ik. 'Alles in orde.'
'Weet je het absoluut zeker?' vroeg ze. 'Ik bedoel, als er ook maar iets is waar je met me over wilt praten…'
Maar dat was er niet.
Is er niet.
Hoe zou dat kunnen?

(and i feel i'm dying
and i'm dying)

Ik lieg, maar het is waar: er is geen Reden nummer vier.

save me

Als ik wakker word zijn Taylor en Mel vertrokken. Ik weet niet hoe laat het is... 's Ochtends vroeg, 's avonds laat. Ik zou het niet weten. Ik kan niet goed focussen, ik kan de digitale cijfers op mijn wekker niet onderscheiden. Ze lijken te zweven in de duisternis, als vage oplichtende miniatuurruimteschepen. Dus weet ik niet hoe laat het is, maar het voelt als die nikstijd, die leegte in het holst van de nacht wanneer de wereld op zijn koudst en donkerst is en er nergens geluid is.

En ik voel me...

Slecht.

Heel misselijk en heel slecht.

God, wat ben ik misselijk.

Ik lig op bed, bovenop het dekbed, met alleen dat stomme roze shirt aan, vandaar dat ik half bevroren ben, en die stomme make-up op mijn stomme gezicht voelt ook koud en akelig. Ik voel me als een dooie. En wou dat ik dood wás. Want als ik dood was zou ik me tenminste niet zo godsgruwelijk misselijk voelen.

Christus, het is niet te harden.

Ik heb kramp in mijn buik, een pijnlijk volle blaas, een droge mond, mijn lippen zitten aan elkaar vastgeplakt. Ik heb overal pijn. Ik stink. Mijn hoofd bonst en draait en tolt en is wazig...

En ik kan me niet herinneren...

Wat is er gebeurd?

Wat is er met Taylor en Mel gebeurd?

Wanneer zijn ze weggegaan?

Wanneer ben ik in slaap gevallen?

Waarom voel ik me zo?

Wat is er gebeurd?

Langzaam, heel langzaam, kom ik voorzichtig overeind tot ik zit.

Pijnscheuten schieten door mijn achterhoofd, en even denk ik dat ik moet kotsen. Maar het lukt me om het binnen te houden.

Ik doe het lampje naast het bed aan, krimp in elkaar bij de pijnlijk felle lichtbundel en kijk de kamer rond. Het is een bende. Flessen, sigarettenpeuken, afgedankte kleren, lege plastic tassen. En daarbij stinkt het. Sigarettenrook, drank, kots…

'Shit,' fluister ik bij mezelf als ik voorover buig om naar de vloer te kijken.

En ja hoor: een plasje dunne gele kots op het vloerkleed naast het bed.

Bij het zien ervan moet ik kokhalzen, en terwijl ik daar zit te slikken en probeer niet over mijn nek te gaan (terwijl ik me tegelijk probeer te herinneren of ík wel degene was die heeft overgegeven… het voor me probeer te zien, en vervolgens probeer het niet te zien, omdat het beeld van mezelf die overgeeft me alleen nog maar misselijker maakt)… hoor ik het geluid van Jezus jankend in zijn mand.

Ik kijk naar hem.

Hij kwispelt zwakjes – tok, tok, tok – met zijn staart tegen de zijkant van de mand en ik weet dat het een bezorgde kwispel is. Een kwispel die zegt: ik weet nog dat ik op de vloer heb gekotst en jij me een uitbrander gaf en ik weet dat er nu kots op de vloer ligt omdat ik het kan ruiken en ik wil niet weer een uitbrander krijgen. Ik kijk naar Maria's mand. Zij lijkt het allemaal veel kalmer op te nemen, haar ogen zijn halfdicht en het puntje van haar staart zwaait loom heen en weer.

Ik kijk weer naar Jezus.

'Het is goed, Jezus,' zeg ik. 'Het is goed…'

En dan weet ik het weer.

Taylors stem.

Gewoon wat geklets. Meer niet. We kletsen maar wat.

En ik herinner me de regen die buiten met bakken naar beneden kwam en de muziek (*the beat of your heart, your cold empty heart*) en Taylor die dingen vroeg.

Voerde hij iets in zijn schild?

Wie?

Je vader, voerde hij iets in zijn schild?

En nu zijn mijn ogen dicht en lopen de rillingen over mijn rug en herinner ik me flitsen – vage gedachten aan pap, een koude decemberavond…

Ik geloof niet dat God erachter zat.

Het was een andere vader, een andere Dawn…

Een andere tijd…

Alles is in orde…

En ik heb het gevoel dat ik doodga.

Omdat ik niet meer weet of deze herinneringen uit mijn hoofd komen… herinneringen aan gedachten, aan dromen… of dat het herinneringen zijn van iets wat ik heb gezegd. Heb ik Taylor en Mel over pap verteld? Heb ik ze over die vreselijke psalmnacht verteld, over die ene keer, die zwarte hel, over de schaamte die tot de spelonk heeft geleid…? Ik weet het niet. Ik kan niet denken. Het zijn allemaal fragmentarische flitsen… *Ik ben er niet ik luister niet… Wie?… Ik zeg niks… God sta me bij… Ik ben buiten mezelf… Je vader… Ik ben buiten zijn ziel en lichaam en ik luister niet… Je vader, voerde hij iets in zijn schild?… Nee nee nee…*

Ik weet het niet meer.

Maar ik denk dat ik misschien iets heb gezegd.

Iets over pap.

Voerde hij iets in zijn schild?

Iets in zijn schild?

Ja, je weet wel… iets in je schild voeren.

Zoals?
Dat mag jij zeggen.

'Shit,' hoor ik mezelf nu fluisteren. 'Het geld.'

Ik spring, te snel, uit bed, met als resultaat:
(1) een plotseling bonkende pijn in mijn hoofd
(2) een duizelig makende draaibeweging die de vloer op en neer laat deinen en me naar een kant laat overhellen
En (3) een koud plakkerig gevoel aan de onderkant van mijn linkervoet als ik in de vergeten plas kots stap.

'Shit,' mompel ik weer en nu spring ik op een voet in het rond terwijl ik probeer de kots van de andere af te schudden.

En mijn hoofd bonst nog steeds en alles om me heen draait nog rond en wervelt en is wazig, en nu zijn Jezus en Maria uit hun mand gesprongen en dribbelen rond mijn hinkende voeten als een stel demente otters, keffend en jankend van plezier bij dit onverwachte (maar zeer welkome) in-het-holst-van-de-nacht-spelletje.

'Nee,' zeg ik met luide fluisterstem. 'Nee, stoppen. Dit is geen spelletje...'

Maar het haalt niks uit. Ze stoppen niet voor ik stop, en het heeft nu trouwens geen zin meer om te proberen mijn voet van de grond te houden, omdat Jezus en Maria alle twee door de kots heen zijn getrippeld, zodat nu acht kleine hondenpootjes het over de hele vloerbedekking verspreiden...

Ik stop met hinken en sta stil.

En wacht even.

Tot Jezus en Maria beseffen dat het spelletje uit is en stoppen met rondrennen en zacht hijgend blijven staan en naar me omhoog kijken.

En ik ze duidelijk zeg: 'Afgelopen. Oké? Zo is het genoeg.'

Ze kijken me aan.

menens?

En ik zeg: 'Ja, menens.'

nou, oké... als jij het zegt

Ik werp een blik op mijn voet. Hij is niet al te smerig, alleen een beetje plakkerig en geel aan de zijkant. Ik veeg hem (schuldbewust) af aan de vloerbedekking, met de stille belofte het later op te ruimen, loop dan de kamer door, doe mijn badjas aan, doe de deur open en ga haastig op mijn tenen de overloop af naar mams slaapkamer.

something's wrong (2)

Mams slaapkamerdeur staat open, binnen is het donker, maar niet helemaal. De gordijnen zijn open en laten een verregende oranjeachtige gloed binnen van de straatlantaarns buiten. Ik zie dat mams bed leeg is. Onbeslapen. Maar dat komt vaker voor. Ze valt heel vaak in de leunstoel beneden in slaap.

Het huis is stil.

En koud.

Mijn hart is dood.

De vloer kraakt een beetje als ik naar het bed loop en naast het versleten rode vloerkleed op de vloer kniel. Het ziet er niet uit alsof het verschoven is. Ik sla het voorzichtig terug. De vloerplank daaronder ziet er niet uit alsof iemand eraan heeft gezeten. Ik haak mijn vinger in het knoestgat en trek langzaam en voorzichtig de plank omhoog.

De donkergroene weekendtas is er nog.

Ik adem zachtjes uit.

Dan buig ik voorover en rits hem open.

Het is er allemaal nog. De vele stapels van twintig- en vijftigpondsbiljetten, de losse tweehonderddertig pond kleingeld, het matzwarte automatische pistool... het is er allemaal nog. Wat betekent dat ik Taylor en Mel er niet over verteld kan hebben, want als ik dat wel had gedaan, weet ik zo goed als zeker dat een gedeelte of alles weg zou zijn.

Wat een opluchting...

Maar ook weer niet zo'n opluchting.

Omdat als ik Taylor en Mel niks over paps geld heb verteld... waar heb ik het dan met ze over gehad?

Misschien, denk ik (terwijl ik de plank terugleg en het kleed eroverheen trek), misschien heb ik ze wel niks verteld. In elk geval niet over pap. Misschien herinner ik het me allemaal verkeerd, haal ik het allemaal door elkaar... verwar ik mijn gedachten en dromen en mijn andere-Dawn herinneringen met dingen die zijn gebeurd toen ik niet mezelf was...

En waarom was ik niet mezelf?

Ik denk dat ik het wel weet... maar er niet over na wil denken.

Beneden in de voorkamer is de lucht van verschaalde sigarettenrook, de weeë geur van wiet en van zure vettige dronkenmansadem te snijden. Mam snurkt zachtjes in de leunstoel met een opgebrande sigaret tussen haar vingers. De tv staat stom te flikkeren, het veel te felle licht flitst af en aan in het donker en zet haar bewusteloze gedaante in een onechte kleurgloed. Ik blijf even naar het tv-scherm staren (hij staat op Paramount Comedy, een aflevering van *Everybody loves Raymond,* die waar Robert en Raymond ruzie hebben in de auto) en buk dan om de uitgedoofde sigaret tussen mams vingers te pakken, hem in de (overvolle) asbak te laten vallen en haar zachtjes bij haar schouder te schudden.

'Mam,' zeg ik zacht. 'Kom op, mam, wakker worden...'

Ze huivert een beetje en maakt een nat snuivend geluid, maar wordt niet wakker.

Ik schud haar weer, een beetje steviger. 'Kom op, mam. Je kunt hier niet de hele nacht blijven...'

En deze keer doet ze half haar ogen open, knippert verward, schudt haar hoofd, en schraapt lawaaierig haar keel. 'Wa...' mompelt ze.

'Het is goed,' zeg ik. 'Ik ben het maar.'

'Dawn?'

'Ja.'

'Laat is het?' mompelt ze.

'Weet ik niet... laat.'

Ze probeert nu rechtop te gaan zitten en kijkt slaperig om zich heen alsof ze niet weet waar ze is.

'Je bent in je stoel in slaap gevallen,' zeg ik.

'Slaap...?' zegt ze.

'Ja.' Ik steek mijn hand naar haar uit. 'Kom op, naar bed met jou.'

Ze graait naar mijn hand maar mist, en grijpt in plaats daarvan de mouw van mijn badjas. En dan verstijft ze heel even en blijft doodstil zitten, met haar dronken ogen gespannen gericht op de witte stof tussen haar vingers.

'Schoon...' mompelt ze, bijna onhoorbaar.

'Wat?'

'Schoon...'

'Ik weet niet waar je het over hebt, mam. Wat is schoon?'

Ze geeft geen antwoord. Ze blijft gewoon een tijdje naar mijn mouw staren, verzwakt dan haar greep, strijkt zachtjes met haar vingertoppen over mijn pols en kijkt langzaam naar me op.

'Weet je zeker dat alles in orde is?' zegt ze afwezig. 'Ik bedoel als er ook maar iets is waar je met me over wilt praten...'

Ik kijk haar aan en weet niet wat ik moet zeggen.

Ze lacht triest naar me.

Ik denk dat ze niet weet waar ze het over heeft.

'Ik ben moe,' zegt ze vaag. 'Hoe laat is het?'

Ik help haar uit de stoel en neem haar mee naar boven, naar bed.

these days (2)

Slaap.

Deze nacht, of ochtend, schrijf ik niets in mijn schrift... er valt niks te schrijven.

Ik ben er niet toe in staat.

Ben bang en misselijk.

Ben buiten mezelf, buiten mijn lichaam en ziel... ik lig op bed en kijk naar een flauw vierkantje nachtlicht in het raam, terwijl ik de misselijkmakende duistere maalstroom probeer te stuiten in mijn hoofd.

Slaap.

about you (2)

Als ik na een lange rusteloze slaap eindelijk wakker word, voel ik me nog steeds hondsberoerd. Mijn mond is kurkdroog, mijn keel voelt als schuurpapier, mijn hoofd is zwaar en bonst. Mijn neus zit verstopt, mijn ogen zitten dichtgeplakt. Mijn kamer stinkt. Maar het ergste van alles is dat ik een overweldigend schuld- en schaamtegevoel heb. En ik weet niet waarom. Een kinderachtig stemmetje in mijn hoofd blijft maar zeggen dat het niet eerlijk is dat ik me zo schuldig en beschaamd voel als ik niet eens weet waaraan ik dat verdiend heb.

Maar ik ben geen kind.

Ik weet dat eerlijk zijn er niet toe doet.

Ik doe mijn handen voor mijn ogen.

Doe mijn ogen open.

En haal langzaam mijn handen weg.

(i can see)

De gordijnen zijn open en ik zie dat het enige goede aan deze druilerige januaridag is dat het niet meer middernacht is. De kou is niet meer zo erg, het donker is verdwenen (heeft plaatsgemaakt voor een regenachtige grijze schemer) en de eenzaamheid van de stilte in het holst van de afgelopen nacht is verbroken door de saaie geluiden van overdag: auto's, een sirene in de verte, een voordeur die verderop in de straat dichtslaat. Ik hoor mam ook. Beneden, rammelend in de keuken. Waarschijnlijk aan het koffiezetten.

Ik kijk op mijn wekker.
Het is halfeen 's middags.
Tijd om op te staan neem ik aan.

Nadat ik zowat een uur later eindelijk uit bed ben gekomen, naar de badkamer ben gelopen en alle make-up van mijn gezicht heb geboend en een douche heb genomen en mijn haar heb gewassen (met een shampoo waar guarana in zit, waar ik geen instant-energiestoot van krijg of me beter van ga voelen), en nadat ik mijn tanden heb gepoetst en een aantal keren in de wastafel heb gekotst… voel ik me nog steeds afschuwelijk. En als ik het kon opbrengen om gloeiend de pest te hebben aan Taylor en Mel voor wat ze afgelopen avond ook met me hebben uitgehaald waardoor ik me zo voel, zou ik het doen. Maar ik kan het niet. Ik breng het niet op. Ik kan me nergens meer druk over maken. Niks loont de moeite.

Zoals mijn haar borstelen.

Het föhnen.

In de spiegel kijken.

Me aankleden.

Of God vermoorden.

Ik bedoel, wat heeft het voor zin?

Ik kan God toch niet vermoorden? Dat was me nooit gelukt. Het was een uitermate doelloze en zielige onderneming. Eén grote tijdsverspilling, net als de hele rest: letters op slakkenhuizen schilderen, nergensjassen dragen, proberen te doen of alles oké is terwijl niets ooit oké is…

Wie probeer ik hier in de maling te nemen?

Nee, ik ga me nergens meer druk om maken. Niet om God, spelletjes of stomme leugentjes. En ook niet om mijn haar te borstelen, of te föhnen of om me aan te kleden, dus voorlopig (nadat ik heb gedoucht, mijn tanden gepoetst en alles waarvan ik nu zou willen dat ik de moeite niet had gedaan), schiet ik gewoon mijn badjas weer aan en loop als een slappe vaatdoek de badkamer uit met een hoofd vol vochtig klittend haar.

Wie maakt het wat uit?

Mam zit tot mijn verbazing voor de verandering in de keuken. Ze drinkt koffie (zonder whisky?) en knabbelt op een biscuitje.

'Alles goed, schat?' vraagt ze als ik binnenkom.

'Jawel...'

'Ik heb de honden voor je gevoerd.'

'Bedankt... heb je ze hun koekjes gegeven?'

Ze knikt en nipt van haar koffie. 'Weet je zeker dat je je goed voelt? Je ziet er een beetje belabberd uit.'

Ik ga aan de keukentafel zitten. 'Prima,' zeg ik. 'Ik heb alleen niet zoveel geslapen.'

'Wil je iets eten?'

'Nee, dankjewel.'

Dan kijken we alle twee naar Jezus en Maria die door het hondenluik naar binnen komen trippelen.

'Hallo,' zeg ik tegen hen.

Ze komen naar me toe en nestelen zich aan mijn voeten. Ik krab ze over hun kop. Maria laat zachtjes een wind. Jezus kijkt haar verbluft aan.

'Keurig,' zeg ik. 'Heel damesachtig.'

Mam glimlacht en steekt een sigaret op. Ze ziet er moe en afgemat uit – haar huid nogal vaal en bleek, haar ogen een beetje hol... maar niet erger dan normaal. Ze ziet er nooit meer zo geweldig uit. En ik zou willen...

Ik zou willen dat ik kon ophouden met dingen te willen die nooit zullen gebeuren.

'Hoe laat ga je?' vraag ik.

'Sorry?'

'Je afspraak met de dokter, hoe laat moet je weg?'

Ze haalt haar schouders op. 'Rond halfvijf, denk ik.'
'Misschien kun je beter maar niet drinken voor je gaat,' stel ik voor.
Ze glimlacht. 'Oké.'
Maar ik weet dat ze het wel zal doen.
'Mam,' zeg ik aarzelend. 'Weet je nog wat je afgelopen nacht zei?'
'Wanneer?'
'Toen ik je wakker maakte... je lag te slapen in de leunstoel en ik maakte je wakker. Weet je nog?'
'Ja...'
'En je zei iets over schoon zijn.'
'Schoon?'
'Ja... volgens mij had je het over mijn badjas.'
Ze aarzelt even, plotseling met angst in haar ogen. 'Je badjas?'
'Ja.'
Ze trekt zenuwachtig aan haar sigaret en kijkt even naar mijn badjas. 'Welke... die, bedoel je?'
'Ja.'
'Die je aan hebt?'
'Ja.'
Ze neemt nog een trekje van haar sigaret en schudt haar hoofd. 'Ik weet niet... vroeg je of ik hem voor je wilde wassen of zo?'
'Nee.'
Nu ontwijkt ze mijn ogen en probeert nonchalant verbaasd te doen. Maar het nonchalante is ver te zoeken. Ze is gespannen, zenuwachtig... en ik kan het mis hebben, maar ze lijkt bijna wel ergens bang voor.
'Mam,' zeg ik zacht. 'Wat bedoelde je... met die badjas?'
Ze probeert te glimlachen. 'Het spijt me, schat. Ik weet het echt niet meer...'
'Toe nou, mam,' smeek ik. 'Vertel het nou gewoon...'
De bel gaat.

De honden springen op en beginnen te keffen.

En ik zie aan de goddank-dat-het-over-is-blik in mams ogen dat het geen zin heeft om te proberen de bel te negeren.

Het moment is voorbij.

Ik ben het weer kwijt.

Ik sta op en ga opendoen.

Het is Mel en ze is in haar eentje. Deze keer geen Taylor. Alleen Mel. Wat me een beetje een raar gevoel geeft. Ten eerste omdat ik niet echt verwachtte een van beiden binnenkort te zien. Ik weet niet waarom. Ik ging er gewoon min of meer, zonder bepaalde reden, van uit dat ze klaar met me waren. Ze hadden hun lol gehad, hadden een tijdje met hun dikke troel gespeeld, en zouden nu met iets anders willen spelen. De tweede reden dat ik me een beetje raar voel is dat, terwijl Mel zoals gewoonlijk helemaal opgedirkt en opgemaakt is, ik hier in de deuropening sta in niets anders dan een sjofele badjas. En plotseling kan het me weer wel een beetje schelen dat mijn haar er waarschijnlijk uitziet als een incontinent kraaiennest. En ten derde, ben ik er zo aan gewend geraakt Mel samen met Taylor te zien dat het me gewoon een beetje onzeker maakt om haar in haar eentje te zien. Snap je, alsof je de Dikke zonder de Dunne ziet, zeg maar. Het voelt een beetje onaf.

'Hé, Mel,' zeg ik, terwijl ik de ceintuur om mijn badjas strakker aantrek. 'Waar is Taylor?'

Mel knikt alleen maar. 'Mag ik een paar minuten binnenkomen? Ik moet het ergens met je over hebben.'

Dus daar zitten we weer, Mel en ik samen in mijn kamer (behalve natuurlijk de altijd aanwezige Jezus en Maria, die alle twee braaf in hun mand liggen… en ook de andere altijd aanwezige Jesus and Mary (Chain), die nu net het lieve droevige liedje zingen van

'About You', het nummer waarmee ik in mijn hoofd rondloop sinds ik wakker ben geworden)

(there's something warm
there's something warm
there's something warm
in everything)

en zit ik achter mijn bureau (en hoop dat Mel de flauwe kotslucht niet kan ruiken van de (bijna) opgedroogde troep op de vloer achter haar (die ik vergeten ben op te ruimen)) en zit Mel, een beetje stijf, op de rand van mijn bed, en ziet er een beetje... ik weet niet, bezorgd uit, misschien? Onzeker ergens over?

'Alles goed met je?' vraag ik.

Ze slaat haar benen over elkaar, frunnikt aan haar haar. 'Jawel...'

'Waar is Taylor?'

Ze haalt onverschillig haar schouders op. 'Hoe moet ik dat weten? We gaan niet overal samen naartoe hoor. Ik bedoel, ze is niet mijn...' Ze aarzelt en ziet er een beetje opgewonden uit.

'Sorry,' zeg ik. 'Ik bedoelde er niks mee. Ik wilde alleen maar...'

'Ja, weet ik,' zegt ze met een zucht. 'Laat maar...' Ze zucht weer, dan zet ze haar benen weer naast elkaar, houdt haar hoofd schuin, en kijkt me glimlachend aan. 'Dit is echt mooi... die muziek.'

'Ja.'

(i know there's something good
about you
about you)

'Is het die groep waar je het laatst over had?' vraagt Mel.

'Ja, The Jesus and Mary Chain. Vind je het echt mooi?'

'Ja, het is goed.' Ze lacht. 'Misschien schaf ik er ook wat van aan.'

'Ik kan je wat cd's lenen als je wilt.'

Ze knikt, nog steeds lachend, en ik geloof dat ze het meent, dat ze de muziek echt mooi vindt, maar ik zie haar glimlach al verflauwen, en haar zenuwachtig over haar lippen likken, en ik heb het gevoel dat ik op het punt sta te horen wat ze komt doen.

'Moet je luisteren, Dawn,' zegt ze.

Luisteren.

'Over afgelopen avond...'

happy when it rains (3)

Ik hoor Mels woorden rondzingen in mijn hoofd
over afgelopen avond...
over afgelopen avond...
over afgelopen avond...
en ik zeg niks.
Ik kan niks zeggen.
Ik kijk alleen maar.

'Herinner je je er nog veel van?' zegt ze uiteindelijk.

'Genoeg,' zeg ik automatisch onvriendelijk.

Ze slaat haar ogen neer. 'Moet je horen, ik ben niet trots op wat we hebben gedaan, oké? En nu heb ik er best een waardeloos gevoel over. Maar ik ga niet net doen of ik ertoe gedwongen was of zo. Het was net zo goed mijn idee als dat van Taylor.'

'Me dronken voeren, bedoel je?'

Ze kijkt me licht verbaasd aan.

'Ik ben niet achterlijk,' zeg ik. 'Ik bedoel, op dat moment wist ik niet waar jullie mee bezig waren... eerst niet in elk geval. En tegen de tijd dat jullie me dronken hádden... nou, toen was ik te dronken om te weten wat er gebeurde. Maar toen ik midden in de nacht wakker werd en me zieker voelde dan ooit, was het niet zo moeilijk om te raden wat er gebeurd was.'

'Ja, nou,' mompelt Mel. 'Sorry...'

'Wat hebben jullie gedaan?' vraag ik. 'Die Revolver vermengd met alcohol?'

'Later wel, ja... Taylor heeft er een hoop wodka in gedaan. Maar het punt is dat er sowieso wodka in zat.'

'In de Revolver?'

'Ja, het is zo'n kant en klaar-drankje, weet je wel... net als Bacardi Breezer en Vodka Kick en dat soort drankjes. Daarom hadden we het etiket er af gescheurd, zodat je niet kon zien wat erin zat.'

Ik kijk haar aan, mijn ogen vast op die van haar gericht en merk dat ik het allemaal verbazend kalm opneem. Wat er ook aan slechte gevoelens door me heen gaat – rancune, boosheid, een gevoel van verraad – het is niet wat ik echt voel. Het is het soort gevoelens dat je krijgt als je denkt dat je ze zou moeten voelen, en ook al voel je je niet echt zo, iets vanbinnen moet nodig laten zien dat je je wel zo voelt.

'Waarom deden jullie dat?' vraag ik.

'Wat... je dronken voeren?'

'Ja... en al het andere. De kleren en de make-up en zo. Net doen alsof jullie me aardig vonden. Ik bedoel, ik weet dat jullie het waarschijnlijk een goeie grap vonden...'

Nee,' zegt ze beslist. 'Dat was niet zo.'

'Nee, dat zal niet,' zeg ik (en onwillekeurig klink ik nogal sarcastisch). 'Jullie probeerden alleen maar mijn gevoel van eigenwaarde op te krikken, zeker?'

Mel schudt haar hoofd. 'Echt, Dawn... zo was het helemaal niet. Het was...'

'Wat?'

Vervolgens kijkt ze me een tijdje aan met zo'n ernstig gezicht en zo'n bezorgde blik in haar ogen dat ik zowaar een beetje medelijden met haar krijg. En ineens realiseer ik me dat ik de suffe Dawn ben, en dat dat meisje daar, het meisje met wie ik medelijden voel, Mel Monroe is. Ik bedoel... neem me niet kwalijk, Mel Monroe! Spijkerhard, sexy, de bitch tegen wie alle andere bitches op kijken. Met één foute blik kan ze je leven verpesten. En nog maar een paar dagen geleden (of was het een paar duizend jaar geleden?) had ik haar met Taylor uit Accessorize zien komen en me zo verschillend van hen gevoeld, zo niet bij hen horend, dat ik mijn hoofd omlaag had gehouden en door was gelopen, ze zogenaamd niet ziend, zogenaamd opgaand in de muziek... maar nu is ze hier, Mel Monroe, en zit ze stoer en mooi, zenuwachtig op de rand van mijn bed in mijn kamer. En voel ik zowaar medelijden met haar. En dat geeft mij weer het gevoel (je gelooft het niet) dat ik een soort macht over haar heb.

Ik weet natuurlijk dat het niet zo is.

Ik weet dat dit niet meer is dan een tijdelijke verstoring van het natuurlijke evenwicht. En Mel weet dat ook. Daarom kijkt ze me nu aan, vervolgens weer naar de vloer, haalt diep adem, vermant zich... en tilt eindelijk haar hoofd op, kijkt me aan en dwingt zichzelf te zeggen waarvoor ze hier gekomen is.

'Het was alleen om het geld.'

'Sorry?'

'Het geld... Het ging allemaal alleen om het geld. En nog steeds. Daarom ben ik hier.'

'Wat voor geld?'

'Het geld van je vader.'

Als ik daar niks op zeg, kijkt ze me een tijdje alleen maar strak aan, terwijl ze erachter probeert te komen wat mijn zwijgen betekent, en probeer ik mijn blik zo argeloos mogelijk te houden. Wat niet makkelijk is, omdat mijn hart nu als een razende tekeergaat, en ik van alles voel borrelen vanbinnen.

'Moet je horen,' zegt Mel, 'ik weet niet of er wel of geen geld is, en om eerlijk te zijn kan me dat ook niks meer schelen. Maar in zekere zin maakt het niet uit of er wel of geen geld is. Ik bedoel, als Taylors vader denkt van wel...'

'Taylors vader?'

'Ja. Als hij denkt...'

'Wacht even,' zeg ik, plotseling in de war. 'Wat heeft Taylors vader ermee te maken?'

Mel trekt haar wenkbrauwen op. 'Weet je dat niet?'
'Wat niet?'
Ze kijkt me stomverbaasd aan. 'Weet je dat écht niet?'
Ik schud mijn hoofd. 'Ik heb geen flauw idee waar je het over hebt.'
'Lee Harding,' zegt ze. 'Taylors vader. Nooit van hem gehoord?'
'Nee.'
Ze zucht. 'Heeft je vader het nooit over hem gehad?'
'Míjn vader?'
'Ja, die twee kennen elkaar. Nou ja, vroeger kenden ze elkaar...' Ze zwijgt even om een sigaret op te steken, en ik kan alleen maar zitten, kijken, wachten en ademhalen, en weet niet wat ik ervan moet denken. 'Lee Harding,' zegt ze, met een mond vol rook, 'is twee of drie weken geleden uit de gevangenis gekomen. Hij heeft tweeënhalf van de vijf jaar uitgezeten voor lichamelijk letsel en dealen. Daar kende je vader hem van.'
'Uit de gevangenis?'
'Nee, via de drugs, bedoel ik. Lee was een leverancier, een dealer. Ik denk dat je vader hem leerde kennen toen hij spul voor zichzelf kocht, maar daarna is hij af en toe voor Lee gaan werken.' Ze kijkt me aan. 'Je weet toch dat je vader bij dat soort dingen betrokken was, hè?'
'Jawel.'
'Blijkbaar kende hij een hoop mensen. Had hij veel contacten.'
'Ja.'
'In elk geval,' gaat Mel door, 'blijkt nu dat Lee een paar jaar geleden met een of andere heel grote deal bezig was, iets met een grote lading heroïne, en dat je vader hielp met de distributie. Je weet wel, zoiets als het voor Lee doorverkopen tegen een percentage van de opbrengst... en toen liep Lee ineens tegen de lamp, hè. En wist de politie exact waar ze moesten zoeken naar het bewijs dat ze nodig hadden voor een veroordeling. En had jouw vader zojuist bij een

deal meer dan £200.000,- geïncasseerd. Maar het punt is… dat hij het spul heeft verkocht en het geld ervoor heeft gevangen, maar niks aan Lee heeft betaald.'

'Probeer je te zeggen dat mijn vader Lee's geld heeft gestolen én hem erbij heeft gelapt?'

'Ik probeer helemaal niks te zeggen, ik vertel je alleen wat ik heb gehoord.' Ze kijkt me aan. 'Ik bedoel, ga even na. Jouw vader heeft meer dan 200.000 pond die van Lee Harding zijn…'

'Ja, oké, maar als Lee tegen die tijd in de gevangenis zat, hoe had mijn vader hem dan moeten betalen?'

Mel schudt haar hoofd. 'Hij had de centen al een week in huis voordat Lee werd gearresteerd. En trouwens, zo werkt het niet. Er waren meer mensen bij betrokken, ze hadden een systeem… je vader hoefde het geld niet rechtstreeks aan Lee te geven. Als hij gewild had, had hij ervoor kunnen zorgen dat Lee het kreeg. En toen, toen Lee eenmaal achter de tralies zat, is je vader verdwenen… en heeft niemand hem de afgelopen twee jaar nog gezien… dus, snap je…' Mel kijkt me aan. 'Het een sluit wel heel erg op het ander aan, hè?'

'Vind je?'

Ze haalt haar schouders op. 'Wat ik vind is niet belangrijk. Het enige belangrijke is wat Lee Harding vindt. En die denkt dat jouw vader zijn geld heeft ingepikt en de politie een seintje heeft gegeven.'

'En nu is Lee uit de gevangenis.'

'Ja… en wil hij zijn geld terug.'

Ik staar haar aan en probeer de dingen op een rijtje te zetten, probeer erachter te komen of wat ze zegt ergens op slaat. 'Maar waarom heeft hij tot nu gewacht?' vraag ik. 'Ik bedoel, ik weet dat hij in de gevangenis zat, maar je zei dat er andere mensen bij betrokken waren… waarom heeft hij een stel daarvan niet achter zijn geld aan gestuurd?'

Mel neemt nog een trekje van haar sigaret. 'Lee is een beetje een psychoot. Hij handelt dit soort zaken graag persoonlijk af, als je begrijpt wat ik bedoel.' Ze kijkt me recht aan. 'Dus, snap je... als je iets van dat geld afweet...'

'Wacht eens even,' zeg ik. 'Hoe weet jij dit allemaal?'

'Ik zei toch dat hij Taylors vader is...'

'Nou en?'

Ze zucht (zo van: maakt het uit hoe ik het weet?). 'Kijk,' zegt ze, 'we waren dus bij Taylor thuis, oké? Een paar weken geleden... ergens voor kerst. En we hoorden haar vader toevallig met een paar vrienden praten. Ze waren allemaal stoned, snap je... Lee was net uit de gevangenis en ze hielden een soort van welkomstfeestje voor hem. Maar goed, we hoorden ze tekeergaan over een kerel, ene John Bundy...'

'O, fijn,' onderbreek ik haar. 'En Taylor heeft zeker toevallig verteld dat ze op school zit bij zijn dochter?'

Mel schudt haar hoofd. 'Nee... Taylor wist niet dat jij zijn dochter was. Toen in elk geval niet. Ze zit nog maar net op school, weet je wel? Ik bedoel, ze wist dat jij Bundy heette, maar verder wist ze niks van jou. Voor zover het haar betrof, was je gewoon dat rare kind van school dat nooit wat zei...'

'De dikke vingerplant zonder vriendinnen.'

Mel lacht. 'Ja.'

'Maar nu weet ze wel wie ik ben.'

Mel knikt. 'Ze vroeg het aan mij... snap je, ze vroeg of jij familie van die John Bundy was, en ik heb het haar verteld...'

'Wist jij dat hij mijn vader was?'

'Niet zeker, nee... maar ik had gehoord dat je vader vermist werd, en er gingen allemaal geruchten over hem dat hij in de drugs zat en had gezeten en zo, dus raadde ik zo'n beetje dat het waarschijnlijk om dezelfde ging. Ik bedoel, zoveel mensen zijn er hier ook weer niet die Bundy heten, hè?'

Ik haal mijn schouders op.

'Maar goed,' gaat Mel door, 'nadat we Taylors vader en zijn vrienden over jouw vader hadden horen praten, besloten Taylor en ik om jou eens door te lichten. Je weet wel, we waren van plan om erachter te komen of je echt John Bundy's dochter was, en dan zouden we een beetje doorvragen en kijken of je iets van dat geld afwist. Mel drukt haar sigaret uit. 'Taylor dacht dat als wij het geld terugkregen, haar vader ons er misschien wat van zou geven.'

'Juist,' zeg ik. 'Dus dat hele gedoe... dat jullie langskwamen en deden alsof we vriendinnen waren, en de hele troep met die kleren en make-up en me dronken voeren en zo... ging allemaal alleen maar om het geld?'

'Ja. Luister, het spijt me...'

'Hebben jullie er naar gezocht?'

'Wat?'

'Naar het geld. Ik bedoel, nadat ik gisteravond bewusteloos was... hebben jullie er toen naar gezocht?'

'Ja... nou, Taylor heeft er naar gezocht. Maar ze heeft niks gevonden.'

'En ik neem aan dat ze, toen ik dronken was, vroeg waar het was, zeker?'

'Ja.'

'Maar ik heb niks gezegd?'

Mel aarzelt. 'Niet over het geld, nee.'

Nu aarzel ik ook. 'Wat bedoel je?'

Ze steekt nog een sigaret op. 'Weet je nog dat Taylor je over je vader vroeg?'

'Ja, vaag.'

Mel schudt haar hoofd en blaast rook uit. 'Ze probeerde het handig te spelen. Je weet wel, er achter proberen te komen of jij iets over het geld wist zonder te laten merken dat ze daar op uit was. Snap je wat ik bedoel? Alsof ze het je niet gewoon op de man af kon vragen, maar zo nodig de slimmerik moest uithangen. *Wat was je vader voor een man? Wat weet je nog van hem? Voerde hij iets in zijn schild?'* Ze schudt weer haar hoofd. 'Ik zei nog dat ze je gewoon naar het geld moest vragen. Je was veel te dronken. Het was niet eerlijk...'

Ik kijk haar aan. 'Wat was niet eerlijk?'

Ze sluit even haar ogen en zucht. 'Je was veel te dronken... je begon gewoon te bazelen. En het viel niet mee om te snappen wat je zei. Of je een nachtmerrie had of zo, weet je wel... je flapte er gewoon van alles en nog wat uit dat nergens op scheen te slaan.'

'Wat flapte ik eruit?' vraag ik zacht.

Mel houdt mijn blik vast. 'Dingen over je vader.'

Ik weet niet hoe ik me nu voel. Er zit een holte in mijn maag, een herinnering aan pijn. Een verstikkende brok in mijn keel. En diep in de duisternis van mijn spelonk voel ik tranen prikken. Maar ze zitten te ver weg om tevoorschijn te komen.

Ik kan niks zeggen.

Mijn ogen vragen.

En Mel antwoordt: 'Je bleef maar zeggen: "Hij was het niet",' zegt ze. '"Het was iemand anders..."' Ze kijkt naar het plafond terwijl ze zich concentreert, probeert het zich te herinneren. 'En iets over gebeden... en nog iets over iets wassen of zo, geloof ik. En over bloed.' Ze kijkt me aan. 'Bloed van iets?' Ze trekt nadenkend aan haar sigaret. 'En je probeerde steeds maar "laat die zang ophouden" te zeggen... maar het leek of je het niet goed kon uitspreken, of dat je het niet voor elkaar kreeg of zo. Het klonk alsof je zei "laat die zalm ophouden..."'

'Psalm,' mompel ik, naar de vloer kijkend. 'Laat die psalm ophouden...'

'Wat?'

Ik kijk op naar Mel. 'Niks... het is niks. Het spijt me... ik kan niet...'

'Geeft niet,' zegt ze zacht. 'Ik begrijp het wel.'

'O ja?'

'Ja, ik denk van wel. Dat is voor een deel waarom ik hier ben.'

Ik kijk haar verbaasd aan. 'Wat bedoel je?'

Ze zucht. 'Op mij kwam het niet zo vreemd over.'

'Wat niet?'

'Wat je gisteravond zei toen je dronken was... die dingen over je vader. Ik weet dat ik net zei dat het nergens op leek te slaan, en dat deed het ook niet echt... snap je, het was niet zo dat je iets verraadde. Ik bedoel, Taylor had geen benul waar je het over had.'

'Maar jij wel?'

Ze knikt kalm. 'Ik denk van wel.'

Ik kijk en wacht tot ze het uitlegt.

Na een paar seconden zegt ze (heel zachtjes), 'Ik had een broer... Oliver...'

Dan zwijgt ze en staart niets ziend naar de vloer... en ik herinner me dat ze eerder precies hetzelfde deed toen ze het over haar broer had. Toen had ze verder niks over hem gezegd, alleen maar 'mijn broer' en daar zwijgend gezeten, alsof ze helemaal in haar eentje was. Maar nu ziet ze er helemaal niet zo verlaten uit, en ik krijg het gevoel dat ze me meer gaat vertellen.

Ik zit heel stil en wacht.

Na nog een tijdje doet ze haar ogen dicht, slikt moeizaam, ademt dan bibberig uit en vertelt verder: 'Oliver was toen dertien. Ik was tien of zo... hij was mijn grote broer, weet je wel? Hij zorgde altijd voor me.' Ze glimlacht triest bij de herinnering. 'Hij ging vaak naar zo'n plaatselijk jeugdclub of zoiets, je weet wel, zo'n plek waar ze zogenaamd kinderen met problemen helpen... niet dat Oliver problemen had. Ik bedoel, hij was net een beetje in de nesten geraakt met auto's stelen en zo... maar dat was het dan ook. In elk geval was daar die dominee... die zo nu en dan bij de club langskwam om met de kinderen te praten over... weet ik veel. Ik denk dat hij het met hen over goed en kwaad en dat soort klotezooi had...' Mels stem klinkt nu bitter. 'Ik weet niet hoe het is gegaan,' vertelt ze, 'maar op een of andere manier is Oliver met die dominee in contact geraakt en zijn ze van die speciale gesprekjes gaan voeren, je weet wel, onder elkaar... en toen... shit, ik weet niet. Ik was verdomme nog maar tien. Wist ik veel wat er aan de hand was. En natuurlijk wisten mijn vader en moeder niet hoe ze ermee om moesten gaan, dus vertelden die me niks... Zelfs nu weet ik nog steeds niet precies wat er is gebeurd.' Ze haalt nog een keer diep adem. 'Het enige wat ik weet is dat Oliver zelfmoord heeft gepleegd, dat hij zich heeft opgehangen, en een briefje voor pap en mam heeft achtergelaten met dat het hem speet, dat hij zich schaamde... en toen was er al dat gedoe met de politie en de dominee en zo... Christus...'

Haar stem sterft weg als ze een traan wegveegt.

'Shit,' fluister ik.

Ze knikt.

'Wat is er met hem gebeurd?' vraag ik. 'Met de dominee, bedoel ik.'

Ze schudt haar hoofd. 'Niks... helemaal niks, verdomme. Die ontkende alles, hè? Zei dat Oliver het zich allemaal verbeeld had. En er was geen bewijs...' Ze haalt haar schouders op. 'Hij werd overgeplaatst, meer niet. De dominee. Ergens naar een andere stad.' Ze staart even diep in gedachten voor zich uit, drukt dan haar sigaret uit en kijkt me aan. 'We sliepen vroeger samen op één kamer,' zegt ze. 'Oliver en ik. Soms had hij nachtmerries, weet je, toen al dat gedoe met de dominee aan de gang was. Hij praatte in zijn slaap. Toen snapte ik er niks van...' Ze zwijgt, kijkt me nadenkend aan en vraagt of ik het begrijp.

Ik knik. 'Sommige dingen zijn te moeilijk om over te praten.'

'Ja... maar je kunt ze wel begrijpen.'

Ik knik weer. 'Ja...'

En dan, terwijl we daar een tijdje zitten, en de (Jesus-and-Mary-Chained) stilte over ons heen laten komen, wordt er zachtjes op de deur geklopt en kijken we allebei om als hij op een kiertje opengaat en mams hoofd (alsof het zweeft) in de opening verschijnt.

'Ik ben nu naar de dokter, schat,' zegt ze.

'O ja,' zeg ik met een blik op de klok (16:32). 'Ik had me niet gerealiseerd hoe laat het was...'

Mam glimlacht zenuwachtig naar Mel. 'Hallo...'

'Hoi,' zegt Mel ook met een glimlach.

'Oké, nou,' zegt Mam onhandig terwijl ze zich weer naar mij keert. 'Ik kan maar beter opschieten, anders kom ik te laat...'

Haar ogen hebben een licht dronken waas.

'Alles oké, mam?' vraag ik.

'Prima.' Ze lacht. 'Tot zo dan, schat. Oké?'

'Ja, oké. Dag...'

Haar glimlach zwakt al af als ze haar hoofd terugtrekt en de deur achter zich sluit. Ik luister naar haar sloffende voetstappen die langzaam de trap af gaan. Ik hoor dat ze haar sleutels pakt en de voordeur opendoet... een stilte... en dan slaat de deur dicht.

'Is ze altijd zo?' vraagt Mel.

'Wat... zenuwachtig?'

'Nee, dronken.'

Mijn instinctieve reactie is om het te ontkennen, maar als ik naar Mel kijk en de wetende blik in haar ogen zie, besef ik dat het geen zin heeft.

'Nou, ze is niet altijd dronken,' zeg ik.

'Maar meer wel dan niet?'

'Ja... eigenlijk wel.'

Mel knikt. 'Die van mij is precies hetzelfde.'

'Echt? Jouw moeder?'

'Ja... ze dronk altijd al, maar nadat Oliver zelfmoord had gepleegd... nou, toen werd het haar allemaal te veel. Pap ook. Ze konden het niet aan. Ongeveer een jaar nadat het gebeurd is zijn ze gescheiden. Sindsdien zuipt mam aan een stuk door.' Mel steekt een sigaret op en glimlacht. 'Zo gaan die dingen, hè?'

'Ja, ik neem aan van wel...'

'Daar hoor je "het leven is klote" op te zeggen.'

'O ja?'

'Ja.'

'Oké... het leven is klote.'

Daar moet ze om lachen, en dat klinkt goed. Het klinkt vermoeid en ook hopeloos – op een lach-er-maar-om-want-anders-ga-je-huilen soort manier – maar toch klinkt het goed.

'Nou, hoe dan ook,' zegt ze, terwijl haar lach in een vermoeide zucht eindigt. 'Snap je het nu? Ik bedoel, snap je wat ik bedoel met begrijpen?'

' Ja... *(I can see that you and me live our lives in the pouring rain)* ja, ik geloof van wel. Ik bedoel, het meeste in elk geval.'

'Wat begrijp je niet?'

Ik haal mijn schouders op. 'Waarom je hier bent. Ik bedoel niet dat ik het niet waardeer of zo, en ik besef dat het voor jou heel moeilijk geweest moet zijn...'

'Helemaal niet.'

'Ik bedoel niet...'

'Doe niet zo fucking superieur, Dawn.'

'Ik doe niet...'

'Hoor eens,' zegt ze met samengeknepen lippen, 'ik ben je dit niet allemaal komen vertellen omdat ik met je te doen heb of zo.... Oké? Want dat is niet zo... en ik wil niet dat jij met mij te doen hebt. Begrepen?'

'Ja.'

'Ik bedoel, ik weet wat je doormaakt... meer niet. Ik weet hoe het voelt. En ik wilde je alleen maar laten weten...'

'Waarom?'

'Waarom?'

'Ja, waarom wilde je het me laten weten?'

'Omdat...' Ze schudt haar hoofd. 'Shit, weet ik het.' Ze buigt haar hoofd, haalt diep adem, blaast dan haar wangen bol (alsof ze eindelijk heeft besloten me de waarheid te vertellen) en kijkt me aan. 'Oké,' zegt ze zacht. 'Ik mag je, oké? Ik denk dat jij... je weet wel... ik denk dat je wel oké bent. En ik wilde je alleen maar laten weten...' Ze aarzelt, en kijkt ongemakkelijk.

'Laat maar,' zeg ik. 'Je hoeft niet...'

'Ja, moet ik wel.'

'Ik weet wat je wil zeggen.'

'Helemaal niet.'

'Goed dan,' zeg ik een beetje ongeduldig. 'Zeg het dan maar.'

'Over Taylors vader,' zegt ze enkel, met haar ogen strak op de mijne gericht. 'Lee Harding... hij komt vanavond hier langs.'

almost gold

Mel vertelt dat na gisteravond, nadat ze me dronken hadden gevoerd en Taylor (tevergeefs) had geprobeerd me aan de praat te krijgen over paps geld (of misschien moet ik Lee Hardings geld zeggen?) en nadat ik bewusteloos was geraakt en Taylor het huis nog eens had doorzocht en geen duidelijk geheime bergplaatsen had ontdekt... na dat alles, vertelt Mel, had Taylor onderweg naar huis gezegd dat ze haar vader over mij ging vertellen.

'Ik heb geprobeerd haar over te halen om het niet te doen,' zegt Mel, 'maar ze was er niet van af te brengen. Volgens haar zou haar vader er vroeg of laat toch wel achter komen waar jij woonde, en Taylor dacht dat als hij het van haar hoorde, ze nog een kansje maakte op een deel van de buit.

'Dus heeft ze het hem verteld?'

'Ja, ik belde haar vanochtend. Ze zei dat ze het hem gisteravond had verteld. Alles. Je weet wel, dat we hier langs waren gegaan om jou na te trekken, dat je moeder altijd dronken is, over al die dure spullen die jullie hebben...' Mel kijkt me aan. 'Hij komt vanavond langs, Dawn. Van wat Taylor me vertelde, denkt hij dat je het geld hier ergens hebt, of dat je nog contact hebt met je vader. Hij komt langs om daarachter te komen.'

'Hoe laat?'

'Rond halfacht,' denkt Taylor.

Ik kijk op de klok (17:11).

'Het spijt me,' zegt Mel. 'Als ik het geweten had...'

'Denk je dat hij alleen komt?' vraag ik.

'Weet ik niet... ik denk van wel. Ik bedoel, hij weet dat alleen jij en je moeder hier zijn, dus bescherming heeft hij niet nodig. En wat ik zei, hij lost dit soort dingen graag persoonlijk op.' Ze kijkt me aan, haar ogen staan bloedserieus. 'Het is geen aardige man, Dawn. Integendeel.'

Ik probeer na te denken. Na te denken over wat het allemaal betekent en over wat er gaat gebeuren en wat ik er eventueel aan kan doen... maar het is allemaal zo idioot, zo bespottelijk, zo onwerkelijk dat mijn hoofd ervan tolt... er is gewoon geen beginnen aan. Het enige waar ik wel aan kan denken is: hoe ben ik in godsvredesnaam van mijn wereld van niks hierin verzeild geraakt?

> Vraag: Hoe kom je van een wereld van volstrekt tevreden loser-zijn, een wereld van niksjassen en honden en slakken en letters en muzieknummers en achterlijke ideeën over God vermoorden... hoe kom je van daar hierin terecht? Hoe bestaat het dat je op een regenachtige donderdagmiddag in je kamer zit met een mooi raadselachtig meisje op je bed dat je dingen vertelt die te waanzinnig zijn voor woorden?
>
> Antwoord: Weet ik niet.

'Luister, Dawn,' zegt Mel (en ik kijk op uit mijn dwaze dagdromerij en zie haar opstaan en de kamer door lopen naar mij toe). 'Gaat het een beetje?' vraagt ze als ze voor me blijft staan.

Ik glimlach. 'Niet echt.'

Ze legt haar hand op mijn schouder, kijkt me recht aan en zegt: 'Moet je horen, ik weet dat ik waarschijnlijk de laatste ter wereld ben van wie je advies wilt, maar als ik jou was... nou, dan zou ik niet proberen om voor Lee Harding iets achter te houden. Ik bedoel, als je wel iets van dat geld af weet, is het misschien maar het beste om het gewoon te zeggen.'

'Ja?'

‘Ja.’

‘Het beste voor wie?’ vraag ik, terwijl ik haar ook recht in de ogen kijk.

Ze zwijgt even, kijkt me alleen maar aan, en ik weet dat zij weet dat ik plotseling aan haar zogenaamde goede bedoelingen begin te twijfelen. Niet dat ik dat wil, en het idee dat ze nog steeds een spelletje met me speelt staat me absoluut niet aan, maar een deel van mij denkt onwillekeurig dat al die kennelijke bezorgdheid van haar – de bekentenissen, de vertrouwelijkheden, dat ze zei dat ze me mocht – misschien gewoon een andere manier is om me te laten zeggen wat ze eigenlijk wil weten: m.a.w. waar is het geld?

Ze haalt haar hand van mijn schouder en doet een stap terug met een blik van teleurstelling in haar ogen. ‘Ik kan maar beter gaan,’ zegt ze zacht.

‘Je kunt me niet kwalijk nemen dat ik je niet vertrouw,’ zeg ik.

Ze lacht. ‘Weet ik… ik neem het je niet kwalijk. Ik probeer alleen maar…’ Ze schudt haar hoofd en begint haar jas dicht te doen. ‘Het maakt niet uit. Ik kan er niks tegen in brengen, hè. Ik kan je niet dwingen om me te geloven.’ Ik kijk hoe ze haar jas dichtritst. ‘Je hoeft niet weg.’

‘Jawel.’

Ik blijf naar haar kijken. ‘Wat doen we met Taylor?’

‘Hoezo?’

‘Ik weet niet… ik dacht…’

Ik weet niet wat ik moet zeggen.

Mel kijkt me aan. ‘Het is gewoon mijn manier om het aan te kunnen, oké?’

‘Wat bedoel je?’

‘Taylor, dat ik met haar optrek, dat ik zo ben…’ Ze haalt haar schouders op. ‘Ik bedoel, al die fucking meidenshit – het is de enige manier die ik ken. Ik heb het nodig om overeind te blijven. Zoals jij doet wat je moet doen om overeind te blijven. Daar hoort Taylor voor mij bij, meer niet.'

'Ja, maar je trekt doorlopend met haar op. Dan moet je op haar gesteld zijn.'

Ze lacht. 'Gesteld zijn op heeft er niets mee te maken. Ze is of mijn vriend of mijn vijand, een van de twee. En het is een te groot kreng om als vijand te hebben.'

'De makkelijkste oplossing...' mompel ik.

'Ja, precies.'

Ik glimlach. 'Dus ik denk niet dat er veel kans is dat wij vriendinnen worden, hè? Ook al vind je me oké.'

Mel grijnst. 'Geen enkele kans. Ik heb een reputatie hoog te houden.'

'Maar je vindt me wel oké?'

Ze komt dichter naar me toe. 'Ja... dat zei ik toch? Ik vind je oké.'

'En je mag me.'

'Ja... ik mag je.'

'Maar als je me op school ziet, zul je toch niks tegen me zeggen.'

Ze schudt haar hoofd. 'Jij bent Dawn Bundy. Als ik met jou optrek, ben ik Mel Monroe niet meer. Ik heb er behoefte aan om te zijn wie ik ben.'

'Ja, maar misschien...'

'Geen misschien, Dawn,' zegt ze terwijl ze weer een hand op mijn schouder legt. 'Het gaat niet gebeuren.' Als ik haar aankijk, legt ze haar andere hand op mijn schouder en buigt zich naar me toe. 'Sorry,' fluistert ze. 'Maar zo is het nu eenmaal.'

En dan kust ze me vol op mijn mond.

En kijken we elkaar even in de ogen.

En glimlacht Mel.

En daar blijft het bij.

'Ik moet ervandoor,' zegt ze, terwijl ze een stap achteruit doet.

Ik probeer overeind te komen, een beetje beverig in mijn benen.

'Laat maar,' zegt ze. 'Ik laat mezelf wel uit.'
Ik aarzel en kijk haar aan.
'Wat is er?' vraagt ze lachend. 'Vertrouw je me niet?'
Ik twijfel één seconde – heen en weer geslingerd tussen haar uit willen laten, maar niet willen dat zij denkt dat ik haar niet vertrouw – en laat me dan terug in mijn stoel zakken.
'Jawel,' zeg ik. 'Ik vertrouw je.'
Ze glimlacht weer. 'Oké... nou, tot ziens...'
'Ja.'
Ze doet de deur open. 'En niet vergeten wat ik heb gezegd.'
'Ik zal het niet vergeten.'
En daarmee is ze verdwenen.
Ik luister naar haar voetstappen die licht de trap af huppen. Ik hoor de voordeur opengaan... een stilte... (en ik ben al weg, weg in mijn hoofd, weg in de herinneringen aan wat er zojuist is gebeurd... hoe haar kus smaakte... aan wat ik had gewild dat ik ongedaan kon maken).
Ik ben al verkocht.

never saw it coming

Het is nu halfzes. En als Mel gelijk heeft wat Lee Harding betreft, betekent het dat ik nog maar twee uur heb voor er een erg onaangename man op onze voordeur komt bonken.

Honderdtwintig minuten.

Niet heel veel tijd.

En ik weet dat ik die niet moet verspillen door hier op mijn bed te liggen, nog steeds in mijn badjas, met mijn ogen dicht en mijn honden (op hun rug) naast me en mijn iPod op zijn hardst en mijn hoofd vol muziek en woorden en herinneringen aan kussen en psalmen en overleden broers en spelonken en dominees en vaders en moeders en dochters...

Nee, daar zou ik allemaal niet aan horen te denken.

Maar dat doe ik wel.

Vraag: Waarom?

Antwoord: Omdat ik alles wat er maar over Lee Harding te bedenken valt al bedacht heb, en het enige wat het heeft opgeleverd is een lijst vol dingen die niet kunnen:

(1) Ik kan de politie niet bellen omdat die zullen willen weten waarom Lee Harding hier langskomt, en ik kan ze niks over het geld zeggen omdat het drugsgeld is en pap het heeft gestolen.

(2) Ik kan geen contact met pap maken omdat ik niet weet waar hij zit, en of hij nog in leven is. En al kon ik wel contact met hem krijgen...

(3) Daar kan ik niet aan denken.

(4) Ik kan mam niet bellen omdat ze geen mobiele telefoon heeft.

(5) Ik kan niet gewoon weggaan en mezelf verstoppen tot Lee Harding is gekomen en weer is vertrokken omdat:

(a) hij dan later gewoon weer terugkomt

en (b) mam zo thuiskomt (eigenlijk zou ze al terug moeten zijn, maar ik ben niet verbaasd dat ze er nog niet is. Ik denk dat ze onderweg naar huis langs een pub is gegaan voor een of twee borrels, of drie of vier). Maar in elk geval is ze zo terug en ik kan haar niet in haar eentje aan Lee Harding overlaten.

(6) Ik niks kan ondernemen, wel? Het enige wat ik kan doen is hier op mijn bed liggen, met mijn hoofd vol muziek en herinneringen en wachten tot mam thuiskomt. En hopen dat ze niet te dronken is. En dan...? Wat dan? Ik weet het niet. We zullen praten, denk ik. Ik zal haar vertellen wat Mel heeft gezegd. En dan proberen we te bedenken wat we moeten doen.

Misschien besluiten we wel om Lee Harding het geld te geven.

Of niet.

Misschien gaan we tegen hem liegen.

Of misschien ook niet.

Misschien zullen we alle twee te bang zijn om ook maar iets te doen.

En zal hij alleen maar tegen ons schreeuwen.

Of ons verrot slaan.

Of erger...

Ik weet het niet.

Het enige wat ik nu kan doen is hier liggen, luisteren en hopen dat er niks zal gebeuren.

nine million rainy days (1)

Ik ben half in slaap als het gebeurt. Ik lig nog op bed, nog steeds in mijn badjas (nog steeds met mijn ogen dicht en mijn honden nog steeds (op hun rug) naast me en mijn iPod nog aan), en ik verkeer in die heerlijke schemertoestand die een overgang vormt tussen slapen en niet slapen, waar je kunt dromen zonder te dromen en dingen gewaar kunt worden zonder ze te weten. Je zintuigen zwijgen, je gedachten zijn in duisternis. Je lichaam is er wel en niet. Je kunt horen zonder te luisteren. Je kunt de geluiden in je hoofd en buiten je hoofd horen, en niet weten wat wat is. Het geluid van een gedachte wordt het geluid van een lied. Het geluid van een lied wordt een beeld van dingen die je niet kunt zien. En de muziek in je hoofd wordt wat je wilt dat het is.

(nine million rainy days
have swept across my eyes
thinking of you
and this room becomes a shrine
thinking of you)

Je leven.

(and the way you are)

Je geest.

(sends the shivers to my head)

En dan beweegt er iets. En heel even denk je

(you're going to fall
you're going to fall down dead)

dat je droomt. Je denkt (in je halfslaap) dat de beweging die je voelde geen beweging is maar een geluid, of het gevoel van een geluid... maar nog geen halve seconde later, als je het weer voelt, weet je dat je het mis hebt.

Je droomt niet.

Je bent nu wakker.

Klaarwakker...

En je er intuïtief van bewust dat de beweging die je voelde Jezus was, dat je hand op zijn lijf lag (je zijn hondenhart voelde kloppen op de maat van de muziek) en dat de eerste beweging die je voelde het plotselinge aanspannen van zijn spieren moet zijn geweest, en dat de tweede beweging die je voelde moet zijn geweest toen hij (met Maria) van het bed sprong en als een gek naar de slaapkamerdeur begon te blaffen (WRAUWRAUWRAUW).

Wat ze nu alle twee nog steeds doen.

Wat betekent dat er iemand in huis is.

En nu ben je niet alleen wakker, je staat op scherp, rukt je oortjes uit, gaat rechtop zitten en spitst je oren... je ademt zwaar, je oren zijn gespitst... maar het enige wat je hoort is het opgewonden gekef van je honden. En je weet dat ze niet zo naar je moeder zouden blaffen, dus werp je nu een radeloze blik op de klok in de hoop (alsjeblieft) dat het nog geen halfacht is...

En dat is het niet.

Het is vijf over zes.

Dus Lee Harding zou nog niet hier moeten zijn... maar dan houden de honden even op met blaffen en hoor je een gedempte voetstap op de trap – een voorzichtige stap, een gekraak, een stilte – en de tijd doet er niet meer toe.

Je bent versteend.
Kijkt strak naar de deur.
Je armen stevig over elkaar.
Je badjas krampachtig tegen je borst.
En… godallejezus.
De deur gaat open.
De deur gaat ópen.
En de honden zijn stil geworden en gaan achteruit.
En je bent gestopt met ademhalen.
Dit gebeurt niet echt, dat kan niet…
Maar het gebeurt wel.
Het is wel echt.
De deur is open.
En er staat een man naar je te kijken.
'Hallo Dawn,' zegt hij.

nine million rainy days (2)

Ik zie hem in de deuropening staan, zijn haveloze gedaante omgeven door een halo in het vale licht... Ik zíé hem. Zijn bleke ogen kijken me aan. Zijn gezicht ongeschoren, bleek en strak. Zijn ooit blonde haar nu gemêleerd bruin, in de war en donker van de regen...

Ik zie hem.

Mijn vader.

Ik kan niks zeggen.

'Mag ik binnenkomen?' vraagt hij zenuwachtig.

Ik kan niks zeggen.

'Dawn?' vraagt hij.

'Pap...?' fluister ik.

Hij glimlacht gespannen. 'Sorry... ik wilde je niet laten schrikken. Ik wilde alleen...' Hij werpt een blik over zijn schouder. 'De voordeur stond open... ik dacht...'

'Mel...' mompel ik.

'Sorry?'

'Niks... een vriendin van mij was hier, meer niet. Ze moet de deur open hebben laten staan toen ze wegging...' Ik gaap hem aan. 'Mijn god, ik kan niet geloven dat jij het bent...'

Hij haalt zijn schouders op. 'Ik ben het echt...'

'Wat doe je hier?'

'We moeten praten, Dawn,' zegt hij. 'En we hebben niet veel tijd... denk je dat ik binnen kan komen?' Hij slaat zijn ogen neer. 'Als je niet wilt, ook goed... dat begrijp ik bedoel ik. Ik kan hier blijven staan als je dat wilt... of als je wilt dat ik wegga...'

'Nee, kom maar,' zeg ik zacht.
Hij kijkt me aan. 'Zeker weten?'
Ik knik.
Terwijl hij behoedzaam de kamer binnenstapt, waggelen Jezus en Maria (net zo behoedzaam) met hun koppen omlaag en voorzichtig kwispelend op hem toe. Hun gekwispel zegt: ben jij echt die wij denken dat je bent?
'Hallo honden,' zegt pap.
Hun staarten kwispelen sneller.
Pap kijkt naar mij. 'Is het goed als ik hier ga zitten?' vraagt hij en hij gebaart naar mijn bureau.
'Ja.'
Ik weet niet precies hoe ik me (of wat ik) voel als ik hem naar het bureau zie lopen en gaan zitten. Leeg, denk ik... Ik voel me alleen maar leeg. Blanco. Te geschokt om iets te voelen. En misschien is dat maar beter ook, omdat er te veel is wat ik nu zou kunnen voelen: angst, boosheid, wrok, walging... verlegenheid, schaamte, wanhoop, ongeloof...

(and all my time in hell
is spent with you)

Het is allemaal te veel.
Jezus en Maria zijn nu weer op bed gesprongen, en pap zit aan mijn bureau. Hij ziet er zo anders uit dan ik me hem herinner. Hij ziet er oud, versleten en verslagen uit. Sloom: doffe ogen, sloom haar, slome kleren. Hij ziet eruit als iemand die zijn kleren bij de slome-oudemannen-afdeling van het Leger des Heils aanschaft. Hij ziet er ook vreemd nuchter uit.
Hij lacht aarzelend. 'Dus je luistert nog steeds naar The Jesus and Mary Chain?'
Ik kijk naar mijn iPod naast me op het bed. Hij staat nog aan,

de blikkerig klinkende muziek nog steeds hoorbaar door de oortjes.

(i have ached for you
i have nothing left to give
for you to take)

Ik wil het niet over muziek hebben.

'Waar heb je al die tijd gezeten, pap?' vraag ik, veel onvriendelijker dan ik bedoel.

Hij kijkt me bedroefd aan. 'Het spijt me, schat... ik heb het zo niet gewild. Ik wilde niet als een duveltje uit een doosje opduiken...'

'Waar heb je gezeten ?' herhaal ik.

Hij schudt zijn hoofd. 'Nergens eigenlijk... ik heb een kleine flat aan de andere kant van de stad, aan de overkant van de rivier. Ken je de St. Thomas-wijk?'

'Die grote torenflats?'

Hij knikt. 'Het is goed te doen... soms een beetje lawaaierig, maar ach...' Hij kijkt verstrooid de kamer rond en dan weer naar mij. 'Ik heb ook een baan,' zegt hij. 'Je weet wel... een echte baan. Van negen tot vijf en zo... nou ja, niet echt van negen tot vijf.' Hij grinnikt verlegen. 'Ik lever meubels af.'

'Meubels?'

'Ja... niet het meest spannende...'

'Meubels,' zeg ik plotseling. 'MeubelSuper... dat is jouw bestelbus zeker? Die blauwe.'

Hij zegt een tijdje niks, slaat alleen zijn ogen weer neer en pulkt afwezig aan zijn nagels. En terwijl ik naar hem kijk, besef ik dat er iets anders aan hem is wat er daarvoor niet was: een volkomen gebrek aan fut. Hij heeft geen energie. Geen pit. Geen levenslust. Ik bedoel, vroeger, toen hij nog mijn vader was, zat hij er nooit zo uitgeblust bij als nu. Hoe dronken, stoned of wat ook, altijd zat hij te wiebelen, ging verzitten, zijn ogen waren nooit stil. Maar nu... nou, nu zit hij daar maar, helemaal in elkaar gedoken, bijna bewegingloos. Alsof er niets van hem over is. Of voor hem over is.

'Je hebt ons in de gaten gehouden, hè?' zeg ik. 'Vanuit je bus... heb je mam en mij in de gaten gehouden.'

Hij kijkt op. 'Ik wilde alleen maar... ik weet niet. Ik wilde alleen maar zeker weten dat het goed met jullie ging, meer niet. Ik bespioneerde jullie niet of zo... ik was alleen... ik wilde jullie alleen maar zien. Jou en mam... ik kon het niet verdragen om jullie niet te zien.'

'Jíj kon het niet verdragen?' zeg ik kwaad. 'En wij dan? Hoe denk je dat wij ons hebben gevoeld?'

'Het spijt me...'

'Niet weten waar je was, of je zelfs nog maar in leven was... ik bedoel, Jezus, pap... we wisten niks.'

'Ik dacht niet...'

'Je had ons minstens kunnen laten weten dat je niet dood was. Je weet wel, een telefoontje, een brief...'

'Ik bén dood,' zegt hij kortaf.

'Wat?'

'Ik wilde dood. Ik wilde niet meer leven. Niet na... je weet wel. Niet daarna. Maar ik kon het niet... het ging niet. Ik kon jullie me niet nog meer laten haten.' Hij slaat zijn ogen neer. 'En mezelf van het leven beroven had trouwens niet geholpen. Het had niks veranderd. Dus heb ik mezelf gedwongen ermee te leven... elke dag... met niks dat de pijn minder maakte... en dat was erger dan doodgaan.'

'Drink je niet meer?' vraag ik zacht.

Hij schudt zijn hoofd. 'Niet sinds ik vertrokken ben. Niks... geen drank, geen drugs...'

'En God?'

'Nee,' zegt hij, moeizaam slikkend. 'Geen God. Die is er nooit geweest...'

'Wat bedoel je?'

Hij zucht. 'Ik was het allemaal gewoon zelf, Dawn. Ikzelf... wat ik ook was, wat ik ook ben... het was nooit de schuld van iets anders. Al dat gedoe over God was alleen maar.... Ik weet niet. Het was gewoon weer zo'n smoesje, je weet wel... gewoon iets... waarachter ik me kon verschuilen...' Hij zucht nog eens, veegt zijn ogen af. 'Ik wist niet wat ik deed, Dawn. Ik wíst het niet... ik bedoel, ik weet niet eens...'

'Wat?' zeg ik scherp. 'Wat weet je niet eens?'

Hij ademt zwaar uit. 'Het spijt me... ik kan niet... het is te laat. Ik kan het niet beter maken.'

'Wat kom je dan doen?' snauw ik. 'Wat wil je, pap? Wil je dat ik je vergeef?'

'Dat zou ik nooit van je kunnen vragen.'

'Nou ja,' zeg ik vals. 'Je zou het misschien kunnen proberen.'

'Ik verdien het niet...'

'Ik heb het niet over wat jij verdient!' schreeuw ik. 'Ik heb het over mij! Ik, pap. IK! Wat vind je dat ik verdien? Ik bedoel, je hebt die dierbare God van jou toch om vergeving gevraagd? Hem heb je het verdomme wel gevraagd.'

Pap staart me nu alleen maar aan, zijn lege ogen vol verwarring en vrees. En ik kan niet meer boos op hem zijn. Ik wil het wel... ik wil dat hij weet hoe ik me voel, ik wil dat hij me begrijpt. Ik wil dat hij begrijpt wat ik van hem verwacht. Maar hij vat het gewoon niet. Hij snapt het niet. En ik weet niet of dat komt omdat hij ziek, dood, misleid, gestoord, verknald is door een levenlang drugs...

Ik weet het gewoon niet.

En ook niet of het verschil uitmaakt.

Je kunt alleen maar zijn wat je bent.

Ik kan geen hekel aan hem hebben.

(i have no more empty heart
or limbs to break)

'Vertel nou maar wat je wilt, pap,' zeg ik met een zucht. 'Wat kom je doen?'

'Jullie waarschuwen,' zegt hij met een blik op de klok.

'Me waarschuwen waarvoor?'

'Voor een man die Lee Harding heet.'

Dan vertelt hij alles over het geld, dat hij het van Lee Harding had gestolen en de politie een seintje had gegeven, het geld voor ons had achtergelaten toen hij verdween omdat hij niet wilde dat mam in zou zitten over een baan moeten zoeken, dat hij zich nu realiseert hoe erg hij er toen aan toe was ('compleet en volslagen naar zijn mallemoer' zijn zijn woorden), dat hij niet wist wat hij deed... en eerst ben ik zo in de war van alles – ik haal Mels verhaal met dat van pap door elkaar... toen en nu, nu en toen – vanbinnen raak ik zo in de knoop dat ik helemaal niet reageer. Ik zit daar maar, sprakeloos, en laat pap domweg zijn verhaal doen.

'Ik dacht er gewoon niet bij na,' zegt hij. 'Het kwam niet bij me op dat ik jou en mam misschien in gevaar bracht.' Hij schudt zijn hoofd, verbijsterd over zichzelf. 'Ik dacht geloof ik dat Lee veel langer vast zou zitten...'

'Dus is dat de werkelijke reden waarom je hier bent?' vraag ik, verbaasd over het venijn in mijn stem. 'Je maakt je zorgen om je geld.'

'Nee... dat heb ik al gezegd. Ik kwam jullie waarschuwen...'

'O, nou, wat goed van je, pap. Heel attent. Ontzettend bedankt.'

Hij trekt een frons in zijn voorhoofd. 'Ik snap het niet...'

'Nee, dat zal wel niet,' zeg ik, terwijl ik hem vuil aankijk. 'Ik bedoel, jij denkt dat je zomaar terug ons leven kunt binnenwandelen, alleen omdat een of andere stoere kerel hier langs zal komen om zijn geld terug te halen… jij denkt dat dat oké is. Maar mam en ik dan? En alle shit en pijn die wij de laatste twee jaar hebben doorgemaakt? Vind je dat niet de moeite waard om voor terug te komen?'

'Maar dat is iets heel anders…'

'Nee, dat is niet iets anders, pap.'

Hij kijkt me aan, wil iets zeggen, uitleggen waarom het anders is, waarom hij niet eerder terug kon komen… maar hij kan het gewoon niet. En ik bedenk dat ik tegen hem wil zeggen dat hij het niet uit hoeft te leggen, dat ik weet dat het iets anders is, maar kan het ook niet.

Dus zucht ik alleen maar, laat alles voor wat het is, en zeg: 'Ik weet alles van Lee Harding.'

'Sorry?'

'Ik weet overal van, van Lee Harding, het geld… alles.'

'Je weet ervan?'

Ik knik. 'Mel heeft het me verteld. Mel Monroe, het meisje waar ik het net over had. Ze is bevriend met de dochter van Lee Harding, Taylor.'

'Aha…' zegt pap nadenkend. 'En die Mel… heeft jou alles over Lee Harding verteld?'

'Ja.'

'Alles?'

'Ja.'

'Zei ze dat hij vanavond hier langs zou komen?'

'Ja.' Ik kijk op de klok. 'Over ongeveer een uur. Daar wilde je me toch voor waarschuwen?'

Hij knikt verward. 'Waarom heeft ze jou over Lee Harding verteld?'

'Omdat… nou, dat is een lang verhaal.' Ik kijk hem aan. 'Hoe weet jij dat hij hier naartoe komt?'

'Dat is een lang verhaal,' zegt hij met een poging tot een glimlach.

Ik lach niet terug, kijk hem alleen maar aan, eis een antwoord.

Zijn glimlach verdwijnt en hij slaakt een lange vermoeide zucht. 'Toen ik ontdekte dat Harding vrij kwam, wist ik dat het niet lang zou duren voor hij me zou gaan zoeken, en ik maakte me zorgen dat hij me via jou en je moeder zou proberen op te sporen. Of erger, dat hij zou ontdekken dat jullie zijn geld hebben. Dus eigenlijk heb ik de laatste paar weken ongeveer iedereen zo'n beetje in de gaten gehouden: Harding, zijn vrienden, zijn gezin, jou en je moeder...'

'Dus je weet dat Taylor en Mel me zijn komen opzoeken?'

'Ja.'

'Wist je wie ze waren, wat ze van plan waren?'

'Eerst niet. Ik dacht dat het gewoon jouw vriendinnen waren. Maar er was iets met die Taylor, weet je... ze had vaag iets bekends, alsof ik haar ergens eerder had gezien, of zoiets. Dus toen ze hier die avond vertrokken, ben ik haar gevolgd. En toen besefte ik wie ze was.' Hij haalt zijn schouders op. 'Ik herkende haar nog steeds niet echt, maar ik denk dat ik haar een paar jaar geleden bij Lee thuis moet hebben gezien... en je snapt...'

'Je zag de link...'

Hij schudde zijn hoofd, 'Niet echt. Het enige wat ik toen wist was dat de dochter van Lee Harding net een paar uur bij mijn dochter had doorgebracht. Ik bedoel, ik dacht wel zo'n beetje dat er iets speelde, maar ik wist niet wat.' Hij kijkt me aan met onzekere ogen.

'Maak je geen zorgen, pap,' zeg ik (een beetje laatdunkend). 'Ik heb haar niks over het geld verteld.'

'Ik weet dat je dat niet gedaan hebt,' zegt hij droog. Hij kijkt weer naar zijn handen. 'Niet dat het uit zou maken als je dat wel had gedaan...' En dan, na een korte bedachtzame stilte, kijkt hij me weer aan. 'Ik ben Taylor afgelopen avond weer gevolgd... of deze ochtend... hoe laat het ook was toen ze vertrok. Ik heb de hele nacht bij Lee Hardings huis staan wachten. En ik ben hem de hele dag gevolgd. Daarom weet ik dat hij vanavond hier komt... Ik hoorde hem erover praten met een paar van zijn vrienden in de pub.'

'Je bent hem in een pub gevolgd? Was je niet bang dat hij je zou zien?'

Met een beschaamd lachje graaft pap in zijn zak en haalt er een bril en een baseballpet uit. Hij zet ze op. 'Het is nogal zielig, ik weet het, maar het lijkt te werken. En trouwens...' Hij zet de bril en de pet af. 'Moet je me zien, Dawn. Lijk ik nog op mezelf?'

(and the way you are
sends the shivers to my head)

'Wat gaan we doen pap?' vraag ik.

'Aan Lee Harding, bedoel je?'

'Ja.'

Hij kijkt naar de klok (18:45).

'Hebben jullie het pistool nog?' vraagt hij.

'Het pistool?'

'Dat ik bij het geld heb achtergelaten.'

'Ja... we hebben het nog.' Ik kijk hem aan. 'Is het van jou?'

'Maakt dat uit?'

Ik zeg niets, blijf hem alleen aankijken.

Hij zucht weer. 'Het was gewoon... het was gewoon iets wat ik had, meer niet. Als bescherming. Ik heb het nooit gebruikt...'

'Waarom heb je het hier gelaten?'

'Weet ik niet. Ik heb het niet met opzet achtergelaten... het zat gewoon in de tas met geld...' Hij kijkt weer even op de klok, en dan weer naar mij. 'Waar is het, Dawn?'

'Waarom? Wat ben je van plan?'

'Luister,' zegt hij. 'Het geld kan me echt niks schelen, oké? Harding mag het hebben. En met mij mag hij ook doen wat hij wil... maar niet hier. Dit is iets tussen hem en mij. En van niemand anders. Als hij maar naar jou of je moeder durft te kijken...'

'Wat dan?' vraag ik. 'Schiet je hem dan overhoop?'

Pap kijkt me vervolgens een tijdje aan en zegt niks en ik krijg het gevoel dat hij wil zeggen dat hij alleen maar probeert te doen wat hij denkt dat juist is, maar niet wil dat ik denk dat hij alles probeert recht te zetten, omdat hij weet dat hij dat niet kan.

En ik heb totaal geen idee wat ik voel.

Het ene moment dit, het volgende dat…

Je bent mijn vader.

Je bent een monster.

Ik haat je.

Ik hield van je.

Ik hou van je.

Hoe kan ik van je houden?

Hoe kun jij mijn vader zijn?

(as far as i can see
there is nothing left of me)

Je hebt me kapotgemaakt.

Verdomme.

Je hebt me gemaakt. Je hebt me ongedaan gemaakt.

Je hebt me in een spelonk gestopt en me daar achtergelaten om te sterven.

(and all my time in hell
was spent with you)

Je bént mijn vader.

'Dawn,' zegt hij nu heel zacht.

Ik kijk hem aan. 'Wat?'

'Je moeder komt zo thuis. We moeten…'

'Ze is naar de dokter,' zeg ik wezenloos.

'Weet ik.'

'Ben je haar gevolgd?'

Hij knikt. 'Ze kwam rond halfzes de spreekkamer uit en is naar de pub gegaan.' Hij werpt een blik op de klok. 'Zowat een halfuur geleden is ze daar vertrokken. Ze kan elk moment thuiskomen.' Hij aarzelt en kijkt me ongemakkelijk aan. 'Is ze...? Ik bedoel, gaat het goed met haar?'

Ik haal mijn schouders op. 'Het was maar een routinebezoekje...'

'Nee, ik bedoel in het algemeen... je snapt me wel... hoe gaat het met haar?'

'Wat denk je?'

Hij knikt somber. 'Drinkt ze veel?'

'Ja.'

'Neemt ze...?'

'Neemt ze wat...?'

Hij schudt zijn hoofd. 'Laat maar... het doet er niet toe...'

Ik zie hem daar zwijgend zitten en zie dat hij een afkeer heeft van zichzelf. En ook dat hij weet dat er niets aan te doen valt. Dat hij niks kan voelen wat het beter kan maken: schaamte, schuldgevoel, spijt, wroeging... het zijn allemaal waardeloze emoties.

Ze veranderen nergens iets aan.

Niets verandert ergens wat aan.

Ik kijk naar mijn iPod, hetzelfde nummer is nog zwak hoorbaar

(nine million rainy days
have swept across my eyes
thinking of you)

en ik zet hem uit.

Ik sta op van het bed.

Pap kijkt op.

Ik kijk even omlaag als Jezus en Maria van het bed af springen en de deur uit trippelen (en het deel van mij dat nog met de werkelijke wereld verbonden is, beseft dat ze al een tijd niet buiten zijn geweest voor een plas, dus dat ze dat waarschijnlijk gaan doen) en dan weer naar pap.

'Ik kan niks zeggen,' zeg ik zacht.

'Weet ik,' zegt hij.

Mijn ogen prikken en ik weet dat er werkelijk niets te zeggen valt. Ik kan alleen maar doen wat ik doe. En terwijl ik langzaam op pap af loop weet ik niet of wat ik doe goed of fout is, of waarom ik het doe, of wat het ook betekent... ik weet helemaal niks.

Ik doe het gewoon.

Loop naar hem toe...

Blijf voor hem staan...

Kijk hem recht aan.

Het enige wat ik wil is hem even omhelzen. Meer niet. Of dat hij mij omhelst. Ik wil gewoon weer zijn wat we waren – ik en pap – eventjes...

Mijn armen komen in beweging.

Ik strek ze onhandig uit naar paps hoofd.

Hij buigt langzaam naar me toe.

Ik neem zijn hoofd in mijn armen.

Hij verstijft, houdt zijn lichaam bij me vandaan, maar laat zich omhelzen.

En dan kom ik een beetje dichterbij...

Omhels hem een beetje steviger.

En, heel voorzichtig, maakt hij aanstalten om mij ook te omhelzen.

En dan... ik weet niet hoe het komt. Misschien schrik ik een beetje als zijn hand mijn arm raakt, of misschien strijkt zijn hand net langs de mouw van mijn badjas en blijft haken in de stof. Maar plotseling merk ik dat mijn badjas aan de voorkant open staat en heel even voel ik paps stoppelige wang tegen mijn blote huid aan... en ik weet dat het per ongeluk is, ik weet dat pap al door heeft wat er gebeurd is en zijn hoofd snel heeft weggetrokken... ik weet dat het niet weer zal gebeuren. Maar mijn andere ik weet dat niet. Mijn andere ik – de Dawn in de spelonk, de dertienjarige Dawn – het enige wat zij ooit heeft gekend is de pijn van dat moment en de gruwel van het nog eens door te moeten maken, en nu denkt ze dat ze het weer doormaakt. En raakt ze in paniek.

Ze geeft een kreet, een gil van angst, en duwt pap weg...

Ze doet een stap achteruit, te snel, en verliest bijna haar evenwicht als haar handen wanhopig naar haar badjas grijpen en proberen zich weer te bedekken.

En dan... *BENG!*

Plotseling ontploft de wereld.

En ik kijk in afgrijzen toe als pap gromt, iets goddeloos verzucht en opzij zakt in de stoel.

drop

In de kamer hangt nu een geladen stilte. Het onverwachte *BENG!* galmt niet meer in mijn oren, het is stil en ik zie de dingen zoals ze voorgoed zullen blijven. Mijn vader, opzij gezakt in de stoel, terwijl het bloed langzaam uit een kogelgat in zijn borst sijpelt. Ik zie hem moeizaam ademhalen. Ik zie vlokken roze speeksel op zijn lippen borrelen.

Ik zie dat hij stervende is.

Ik kan niks zeggen.

'Dawn?' zegt een dun stemmetje uit de deuropening.

Mam.

Ik zie haar staan. Ze staat daar met paps pistool in haar hand, haar lijkbleke gezicht nat van tranen.

'Alles in orde met jou?' vraagt ze.

Ik knik.

'Heeft hij je pijn gedaan?'

Ik schud mijn hoofd.

'Je bloedt,' zegt ze verbijsterd terwijl ze naar mijn benen staart.

Ik kijk omlaag. De witte stof van mijn badjas is bespat met bloed en daarvan is iets op mijn benen gekomen.

Het is niet het mijne.

Het is van pap.

Ik kijk naar hem. Zijn ogen staan wijd open en staren wild. Zijn borst ratelt en hij hoest zwakjes waarbij er bloed meekomt. Zijn gezicht is wit.

Hij doet zijn mond open, probeert iets te zeggen.

'... uhh... uh...'

Hij hoest weer bloed op.

Ik val voor hem op mijn knieën. 'Pap...?'

Zijn ogen doen moeite om op me te focussen.

'... Dawn...?' fluistert hij.

'Pap...' zeg ik snikkend, terwijl ik mijn tranen terugdring. 'Het is goed, pap... het komt goed... het is goed...'

'... alsjeblieft...'

En nu zie ik hem wegglijden. Ik zie het gebeuren... recht voor mijn ogen. Ik zie het licht uit zijn ogen verdwijnen.

'Nee, pap,' roep ik. 'Niet doen... hou vol...'

'... vergeef me... alsjeblieft...'

'... niet doodgaan...'

'... vergeef me, Dawn...'

En ik wil zeggen dat ik hem vergeef... wil dat hij het weet, nu, voor het te laat is... maar ik moet nu zo huilen... dat ik nauwelijks adem krijg... en de woorden blijven in mijn keel steken. Ik krijg geen lucht... ik kan niet slikken... ik krijg de woorden er niet uit...

En dan – op een totaal nietszeggend moment – sterft pap gewoon.

Het is zo gebeurd.

Hij wordt gewoon slap.

Zijn ogen doven uit.

En hij sterft.

sundown

Mam en ik zitten op de vloer. Op de vloer in mijn kamer voor paps lichaam. We omhelzen elkaar, huilen in elkaars armen. We komen om in een stortvloed van tranen. En op dit moment geloof ik echt dat dit het einde is. Verder kan er niets zijn. Niet na dit. Er kan geen morgen meer bestaan, geen andere plek, geen ander moment dan dit nu. Deze kamer, deze vloer, deze tranen, dit bloed... dit is alles wat er is.

Dit is alles wat er ooit nog kan bestaan.

Dit is...

Nee.

Luister...

De regen.

Dit is niet het eind.

Ik kan de regen nog tegen het raam horen. Het regent nog steeds. Dit is niet alles wat er is. Deze kamer, deze vloer... deze tranen. Ik hoor ze nu overgaan in iets anders. In meer. In een stem. Mijn moeders stem. Die wanhopig snikkend iets tegen me zegt.

'Ik kon niet... ik kon hem niet zijn gang laten gaan, schat... ik moest hem tegenhouden... ik kon hem niet laten... niet nog een keer...'

Ze huilt zo hard dat ik haar nauwelijks versta.

'Het is goed, mam,' zeg ik, terwijl ik haar stevig vasthoud. 'Het is goed...'

'... Ik wilde niet... niet...'

Terwijl ik haar haar streel, haar laat huilen, dringen haar van tranen doorweekte woorden langzaam tot me door.

... ik kon hem niet zijn gang laten gaan, schat...

... niet nog een keer...

... ik moest hem tegenhouden...

... niet nog een keer...

En al wist ik het daarvoor niet (maar daar ben ik niet zeker van), nu weet ik het wel: ze weet wat er gebeurd is. Ze weet wat pap mij heeft aangedaan. Ze heeft het al die tijd geweten. Daarom heeft ze hem vermoord. Ze moet zijn stem hebben gehoord toen ze de trap op kwam. Ze moet het pistool uit haar kamer hebben gehaald, terwijl ze het ergste vreesde... en toen was ze mijn kamer binnengekomen en had het ergste gezien: pap en ik samen. Ze had gezien hoe ik hem wegduwde, met mijn badjas open. En ze had de verschrikking van de andere Dawn in me gezien, en – net als de andere Dawn – had ze gedacht dat het weer gebeurde.

Ze kon hem zijn gang niet laten gaan.

Niet nog een keer.

'Hoe wist je het, mam?' vraag ik zacht.

Ze huivert. 'Wat?'

'Van pap, je weet wel... van pap en mij... hoe wist je dat?'

Ze kijkt me bevend aan, veegt snot en tranen van haar gezicht. 'Het spijt me zo... ik... ik had iets moeten doen...'

'Hoe ben je er achter gekomen?'

Ze wendt haar blik af, kijkt omlaag, en ik voel dat ze haar hand op mijn been legt. Ik kijk omlaag. Ze beweegt haar hand en friemelt zachtjes aan de bloedbevlekte zoom van mijn badjas.

Als ze wat zegt is haar stem een gebroken gefluister. 'Eerst dacht ik dat het van jou was... het bloed op je badjas... ik dacht dat je gewoon ongesteld was. En de lakens ook... ik dacht niet...' Ze zwijgt en kijkt nieuwsgierig naar een enkele traan die uit haar oog op mijn been valt. Ze steekt haar hand uit en raakt hem aan met het bebloede topje van haar vinger. De traan wordt roze. 'Hij was bebloed...' mompelt ze. 'Hij was... 's nachts... zag ik het. En de vreselijke dingen die hij zei... in zijn slaap...' Ze schudt haar hoofd. 'Er waren ook andere dingen... die ik je niet kan vertellen. Maar ik wist het. En toen ging hij weg... ik... ik wilde het gewoon niet geloven... ik kon het niet...' Ze kijkt me aan, haar gezicht radeloos. 'Ik hield van hem, Dawn... ik wist niet wat ik moest doen... het spijt me zo... Ik wist gewoon niet...'

'Het is oké, mam,' zeg ik zacht. 'Het is goed...'

Nee,' zegt ze snikkend. 'Het is niet goed... hoe kan het nou goed zijn? Hoe kon hij je dat aandoen? Hij hield van je... hoe kon hij dat nou doen?'

'Ik denk dat hij niet wist wat hij deed, mam... hij was te... ik weet niet. Hij was helemaal in de war.'

'Dat is geen excuus.'

'Weet ik...'

Ze pakt mijn hand en kijkt me diep in de ogen. 'Ik kon hem je niet nog een keer pijn laten doen, Dawn. Dat begrijp je wel, hè?'

Ik kijk terug en weet niet wat ik moet zeggen. Wat kan ik zeggen? Ze heeft net de man vermoord van wie ze houdt... ze vermoordde hem omdat ze vond dat het moest. Ze dacht dat ze me redde. Maar ze had het mis.

Dat kan ik haar toch niet vertellen? Daar zou ze nooit overheen komen.

Maar als ik het niet doe...?

Als ik haar niet de waarheid vertel, zal ze voorgoed denken dat er voor pap geen vergeving bestond. Ze zal nooit weten dat er misschien, heel misschien, een deel van hem was dat nog de moeite waard was om van te houden.

Moet ik haar dat weigeren?

En moet ik hem een kans dat ze hem vergeeft weigeren?

Vergeving...

Ik kijk naar hem, hoe hij daar koud en dood weggezakt zit in de stoel. En ik zou graag willen geloven dat er nog iets van leven is… ergens… iets van pap dat op de een of andere manier weet wat er in mijn hart omgaat. Ik zou graag willen geloven dat hij me nog kan horen.

Ik vergeef je, pap.

Ik vergeef je.

Maar ik kan het niet.

Er is niets anders. Dit is het. Deze wereld, dit leven, deze tijd… meer is er niet.

Leven en dood.

De dood…

Laat van alles achter.

Terwijl ik hier in deze kamer, op deze vloer zit denk ik daar aan, kijkend naar de koude werkelijkheid van mijn vaders levenloze lichaam. Zijn dood laat van alles achter. Hij laat een plek achter waar hij hoorde te zijn. Hij laat mij in bloed en tranen achter. En scheept mijn moeder op met moord. En dat is de harde werkelijkheid: mijn moeder is schuldig aan moord. En tenzij we daar meteen iets aan doen, zou dat echt het einde kunnen betekenen.

Ik kijk naar de klok (19:15).

'Mam,' zeg ik. 'We moeten iets doen.'

her way of praying (3)

Ik heb geen tijd om erover na te denken, ik moet het gewoon doen. En er is niet veel tijd meer, dus moet ik het snel doen: van de vloer opstaan, mam overeind helpen, proberen tot haar door te dringen…

'Kom op, mam… we moeten weg.'

'Weg?'

'Kun je lopen?'

'Lopen?'

'Alsjeblieft, mam… je moet naar beneden. Nu meteen. Kom op…'

Ze kijkt me aan alsof ze nu hulpeloos en hopeloos in trance is. Ik geloof niet dat ze weet wat er aan de hand is.

'Beneden?' mompelt ze.

'Ja,' zeg ik, terwijl ik haar naar de deur leid. 'Wacht op mij in de woonkamer.'

Ze zegt niets, ze schuifelt gewoon de kamer uit.

'Ik kom er zo aan,' roep ik haar achterna.

Ik draai me om en speur de kamer rond.

Ik voel me vreemd helder.

Alsof ik zonder het te weten weet wat me te doen staat.

Doe het.

1) Pak je iPod, zet hem aan.

2) Oortjes in, snel een keuze maken.

3) Wacht tot hij op stoom is…

(fall to her call on a Saturday night
she's got the hip dipping trick
of all time done right)

en 4) Raap het pistool op.
5) Pak iets om het aan af te vegen (bijna moet je lachen als je beseft dat je het felroze ROCK 'N' ROLL STAR-T-shirt hebt opgeraapt) en veeg het pistool schoon.
6) Wikkel het in het T-shirt, stop het in je zak, en wegwezen.

(like a sin scraping skin)

Ik weet dat ik geen tijd heb om erover na te denken, dat ik het gewoon moet doen, maar dat betekent niet dat ik niet twijfel. En terwijl ik haastig mams slaapkamer in loop en de weekendtas onder de vloerplank vandaan haal, wordt de twijfel al luider, en schreeuwt hij met de muziek mijn hoofd binnen...

(she's screaming for me)

Maar wat ik nu doe heb ik niet echt overdacht. Ik heb het niet bédacht. Het was er ineens, kant en klaar in mijn hoofd: dit is wat je moet doen.

En voor vragen heb ik geen tijd.

Vraag: Waarom bel je niet gewoon de politie en leg je uit wat er gebeurd is? Je vader heeft je misbruikt. Je moeder heeft hem vermoord om verder misbruik te voorkomen. Dus, ja, waarschijnlijk zal haar moord (of doodslag) ten laste worden gelegd en waarschijnlijk zal ze ook voor moeten komen. Maar ze zal nooit ergens voor veroordeeld worden. Ze heeft haar dochter gered van de meest verachtelijke misdaad die je je maar voor kunt stellen, en niemand ter wereld zou een moeder dat ooit kwalijk nemen.

Dus waarom bel je niet gewoon de politie?
Antwoord: Omdat, als ik de politie bel, alles uit zal komen wat er gebeurd is, en zal de rest van de wereld denken dat John Bundy slecht was, Sara Bundy zwak is, en Dawn Bundy een slachtoffer. En dan worden we dat ook.

Dus moet ik dit doen en wel zo snel mogelijk. Ik moet het pistool en de weekendtas mee naar beneden nemen (niet stoppen om Jezus en Maria op hun gemak te stellen, die alle twee nog beven van angst vanwege het geluid van het schot daarvoor). Ik moet naar de voordeur lopen en die op een kier zetten. Dan moet ik terug de gang in lopen en het pistool op de vloer leggen, zo'n twee meter bij de voordeur vandaan. Ik moet verder terug lopen, drie of vier stappen, en de weekendtas op de vloer zetten. Ik moet hem opendoen, zodat het geld zichtbaar is. En nu moet ik hier even stilstaan en nadenken en me voorstellen hoe dit zal werken.

Vraag: Hoe zal dit werken?
Antwoord: Zo:
a) Lee Harding komt eraan en vindt de deur open.
b) Ik bel de politie.
c) Lee Harding zal voorzichtig de deur opendoen en binnenkomen.
d) Hij zal het pistool en de weekendtas op de vloer zien.
e) Hij zal het geld in de tas zien zitten.
f) Hij zal in de war zijn, op zijn hoede.
g) Hij zal om zich heen kijken, misschien iets roepen, en dan het pistool pakken.
h) En dan, als de politie komt, vinden die boven een dood lichaam en treffen Lee Harding in het huis aan met een pis-

tool in zijn hand...

i)... en komen ze er via mij achter (en via mijn moeder, nadat ik die heb verteld wat ze moet zeggen) dat hij langskwam om mijn vader te spreken over gestolen drugsgeld of zo, dat ze ruzie hadden gekregen, en hij mijn vader dood had geschoten...

Maar ik denk dat ik, op datzelfde moment, weet dat het niet zal werken. Er zijn te veel dingen die mis kunnen gaan. Wat als de politie niet komt? Wat als ze er te lang over doen om hier te komen? Wat als Lee Harding niet komt? Wat als hij dat wel doet, maar het pistool niet pakt? Wat als hij het pistool wel pakt maar ervandoor rent als de politie komt? Wat als...?

Nee, het is geen goed idee.

Het gaat gewoon niet werken.

Het is waardeloos.

Maar wat kan ik anders doen? Het is nu bijna halfacht.

Bijna tijd.

(and I just can't take it anyway)

Het enige wat ik kan doen is me erbij neerleggen. Wat er ook gaat gebeuren, zal gebeuren. Ik werp een laatste blik op het pistool en de weekendtas op de vloer, schud mijn hoofd, en loop de woonkamer in.

who do you love?

Dus daar zitten we weer in de kamer. Mam zit in haar leunstoel, kijkt tv, rookt een sigaret en nipt van haar borrel. Ik zit op de bank met Jezus en Maria heel dicht tegen me aan. En kennelijk kijken we met zijn allen naar *World of Mysteries: De vloek van Toetanchamon* op Sky Drie. De duisternis in de kamer met de dichtgeschoven gordijnen wordt verlicht door flitsen van de enorme tv, en af en toe, als het beeld op het scherm plotseling helder wordt, vangt het licht van de tv de wolk sigarettenrook die onder het plafond hangt, en heel even is die wolk dan een donderwolk, en zit ik niet meer in de woonkamer, maar buiten waar elk moment een onweer kan losbarsten en ik blijkbaar een soort…

Iets ben.

Ik ben niets.

Ik heb mam (heel snel) over Lee Harding verteld en gezegd dat als hij komt ik de politie zal bellen en haar verteld wat ze tegen hen moet zeggen als ze arriveren… maar ik weet niet zeker wat ze er allemaal van heeft meegekregen. Ze leek te luisteren en als ik haar vroeg of ze het begreep knikte ze, maar ze stelde nergens vragen over. Ze wachtte gewoon tot ik uitverteld was, glimlachte en zette vervolgens de tv aan.

'Het komt allemaal goed, mam,' zeg ik. 'Zolang we maar bij ons verhaal blijven…'

'Uh-uh…' mompelt ze, met haar ogen aan het tv-scherm gekleefd. 'Bij het verhaal blijven.'

'Dan komt het goed.'

'Goed…'

Haar ogen zijn glazig, haar stem klinkt slaperig. Ik geloof niet dat ze er nog bij is. Ze is getraumatiseerd, verdoofd, geschokt, dronken… ze is op die plek waar ze naartoe gaat om de boel aan te kunnen. Ze is in haar spelonk.

Het is oké.

Ze hoeft niet te functioneren.

Dat doe ik wel voor haar.

Ze is mijn moeder.

Ik hou van haar.

nine million rainy days (3)

Pas als de bel gaat besef ik (terwijl de moed in mijn schoenen zakt) dat ik die met bloed bevlekte badjas had moeten verwisselen voor iets anders, want Lee Harding zal, zo gauw hij me onder het bloed ziet, zich omkeren en ervandoor gaan, toch? En al gaat hij er niet vandoor (en hij zou wel heel stom zijn om dat niet te doen), zal ik evengoed geen tijd hebben om me te verkleden voor de politie komt, hè? En zelfs al had ik die tijd wel...

De bel gaat nog een keer.

En heel even vraag ik me af waarom Jezus en Maria geen geluid maken. Ze blaffen niet, ze komen niet in beweging, ze doen helemaal niks. Ze zitten daar maar en kijken naar me.

Ik kijk naar mam.

Die doet ook niks.

Ze blijft gewoon naar de tv staren.

En ik vraag me ook nog even af waarom Lee Harding aanbelt als ik met opzet de deur heb opengelaten... maar op de een of andere manier lijkt het niet meer van belang.

Ik sta op.

Loop naar de gang.

Aarzel even...

En doe de deur open.

(you're going to fall
you're going to fall down dead)

Het is Lee Harding niet.

inside me (4)

Alles komt (voorgoed) tot stilstand als ik twee politieagenten op de stoep voor mijn neus zie staan. De tijd staat stil, de aarde... niets beweegt, niets geeft geluid.

Het moment is bevroren.

Ik zie het als een beeld, een stilstaand beeld aan het eind van een eindeloos verhaal.

(i take my time away
and I see something)

Dit is wat ik zie.

Een: twee politieagenten in uniform met fluorescerende gele jassen, staande in de regen, die me zwijgend met hun alwetende ogen aankijken.

Twee: een bevroren sireneblauwe flits van de patrouille-auto die achter hen op straat geparkeerd staat.

Drie: de straat zelf, een regenachtig-grijs asfaltlint, gepolijst met de regenboogglans van olievlekken.

Vier: dezelfde rij huizen als altijd aan de overkant van de straat. Zwarte ramen, vuilwitte muren. Een paar onherkenbare gezichten loeren door openingen tussen de gordijnen.

Vijf: een auto die voorbijrijdt, een zilveren BMW, tot stilstand gedwongen als al het andere. Taylor zit op de passagiersplaats en kijkt naar mij; aan haar ogen valt niets af te lezen, en ik neem aan dat de man achter het stuur haar vader is. Lee Harding. Hij heeft een kogelvormig hoofd, heel kortgeknipt haar, een diamanten knopje in zijn oor. Hij kijkt recht voor zich uit. Dit gaat hem niet aan.

Zes: aan de overkant van de straat, half verscholen achter een blauwe bestelwagen (met *MeubelSuper* op de zijkant), staat een tien- of elfjarige jongen in een doornatte, verregende parka in zijn eentje op de stoep. Hij lacht naar me en steekt zijn duim op. En de blik in zijn ogen – een mengeling van opgewondenheid, nieuwsgierigheid, verlangen naar goedkeuring en trots – vertelt me alles wat ik over dit laatste beeld moet weten.

Klodder moet de politie hebben gebeld.

Hij moet de blauwe bestelbus hebben gezien toen die aan kwam rijden. Hij moet pap uit de bestelbus hebben zien stappen en ons huis hebben zien binnengaan, en hij moet zich hebben herinnerd dat ik hem (om slakgerelateerde redenen) over een niet-bestaande man had verteld die zijn niet-bestaande bestelbus onlangs voor ons huis had geparkeerd, een niet-bestaande man die het paadje op geslopen was dat achterom loopt naar onze tuin.

Je had de politie moeten bellen, had Klodder tegen mij gezegd.

Nou ja, had ik gezegd, als ik hem weer zie, doe ik dat.

En Klodder moet naar me hebben geluisterd.

(En misschien had hij het pistoolschot ook gehoord.)

En had hij de politie gebeld.

En daar staan ze, voor mijn neus op de stoep, hun geüniformeerde gedaantes bevroren in de met blauw zwaailicht doorschoten regen... en, nu op elk moment, als de wereld weer (voorgoed) tot leven komt, zullen hun alwetende ogen de bloedvlekken op mijn badjas zien.

En dan zul je het hebben.

Ze zullen me vragen stellen over dat bloed. Ze zullen niet tevreden zijn met een of ander gemompeld antwoord dat ze van mij krijgen. Ze zullen binnenkomen, de weekendtas en het pistool op de vloer zien, om versterking bellen… het huis doorzoeken… ze zullen paps lichaam vinden…

Ze zullen erachter komen dat mam hem heeft vermoord.

En dan zul je het hebben.

Het absolute Einde.

Tenzij…

'Ik heb hem vermoord,' hoor ik mezelf zeggen (en op het geluid van mijn stem komt de wereld weer tot leven).

'Wat heb je?' vraagt de ene agent.

'Ik heb het gedaan. Ik heb hem vermoord.'

(and that's my story)

'Wie vermoord?' vraagt de andere agent.

'Mijn vader.'

Voor de agenten tijd krijgen om te reageren, voel ik een geruststellende aanwezigheid achter me en een vriendelijke hand op mijn schouder en hoor ik mams trillende (maar vastbesloten) stem.

'Ze heeft het niet gedaan,' zegt ze tegen de agenten. 'Ze heeft niemand vermoord.'

Ik kijk om. 'Mam, nee…'

'Het is goed, schat,' zegt ze zacht met een glimlach. 'Het is nu voorbij.'

'Wat is er aan de hand?' vraagt de ene agent aan mam.

Mam kijkt hem aan, met volmaakt kalme blik. 'Mijn man… is dood. Ik heb hem doodgeschoten. U vindt zijn lichaam boven.'

the living end

Mam en ik hebben nu veel te bespreken, maar terwijl we hand in hand, zachtjes huilend hier op de bank zitten (met Jezus en Maria aan onze voeten), hebben we niet echt veel tijd om te praten. Het huis is vol mensen – politieagenten, rechercheurs, ambulancepersoneel, lui van de forensische opsporing – die allemaal hun ding doen, en daar hoort ook bij dat ze ons vragen stellen, ons verhoren, ervoor zorgen dat we er niet vandoor gaan, en binnenkort zullen we mee moeten naar het politiebureau... dus zoals ik al zei, hebben we nu niet zoveel tijd om te praten.

Maar, op de een of andere manier vind ik dat wel goed.

De stilte tussen ons is er een die goed voelt. We zitten dicht bij elkaar, houden elkaars hand vast, we zijn ons intens bewust van onze liefde voor elkaar en op dit moment heb ik niet meer nodig. Natuurlijk zijn we alle twee finaal kapot van pap (en zullen dat voor de rest van ons leven blijven) en maak ik me doodongerust over wat er met mam zal gebeuren, en weten we, denk ik, alle twee dat de volgende paar maanden, de volgende paar jaar, ongelooflijk zwaar zullen worden, vooral als het tot gevolg heeft dat ze ons uiteindelijk van elkaar zullen scheiden, wat volgens mij een reële (en afschuwelijke) mogelijkheid is...

Maar nu zijn we samen.

En zelfs als we uit elkaar gehaald worden, zal het saamhorigheidsgevoel dat we nu hebben er nog steeds zijn. We zijn samen.

En op de een of andere manier maakt dat alles uit.

Het maakt de dingen wat minder onmogelijk.

Op de juiste tijd zal ik mam over pap vertellen. Ik zal haar vertellen hoe erg hij zichzelf verafschuwde om wat hij had gedaan... ons alle twee had aangedaan. En zal ik haar vertellen dat hij terugkwam om ons te helpen, niet om mij pijn te doen. En dat hij nuchter was. En dat hij nog steeds heel veel van haar hield. En zal ik haar met de hand op mijn hart vertellen dat er ooit een andere Dawn was, een dertienjarige Dawn, een Dawn die in een spelonk in mijn hoofd woonde...

Zij is nu verdwenen.

De andere Dawn is verdwenen.

En in mijn hoofd zit alleen ikzelf.

Dawn Bundy.

Colofon

Dood aan God van Kevin Brooks werd in opdracht van Uitgeverij De Harmonie te Amsterdam gedrukt door HooibergHaasbeek te Meppel.

Oorspronkelijke uitgave *Killing God* (First published by Puffin Books, part of Penguin Books Ltd, UK, 2009)
Omslagontwerp Studio Ron van Roon
Typografie Ar Nederhof

ISBN 978 90 6169 967 5
Eerste druk april 2011

www.deharmonie.nl

De vertaler ontving voor deze vertaling een werkbeurs van het Nederlands Letterenfonds.

Lees ook van Kevin Brooks:

Pete Boland heeft het na zijn eindexamen al de hele zomervakantie druk met nietsdoen. Lange, snikhete dagen glijden voorbij. Dan belt Nicole. 'Moet je horen, Pete... weet je die kermis in het park? Ik dacht om met z'n allen af te spreken... net als vroeger.' Maar de vijf vrienden zijn te veel uit elkaar gegroeid en terwijl jaloezie en oude spanningen weer de kop opsteken, raken Pete, Nicole, Eric, Raymond en Pauly verwikkeld in wat de afschuwelijkste nacht van hun leven wordt.

'Geloofwaardig, loeispannend en aangrijpend' – *7days*

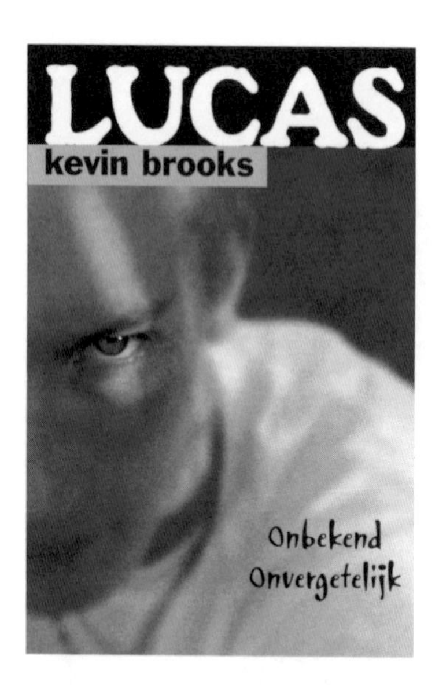

Het leven van de vijftienjarige Caitlin is niet meer hetzelfde als ze op een hete zomerdag Lucas ziet lopen. Lucas is de vreemdste, mooiste en de meest onvergetelijke jongen die ze ooit heeft gezien. Maar wie is hij? Waar komt hij vandaan? En waarom haten mensen hem zo dat ze tot het uiterste gaan om van hem af te komen?

'Fascineert en ontroert tot op de laatste bladzijde' – *TC Tubantia*

Joe is op slag verliefd als hij Candy ziet, maar kan de liefde echt zo mooi zijn? Hij denkt dag en nacht aan haar, speelt gitaar op het ritme van haar naam en buiten Candy is er niets dat hem nog interesseert. Maar Candy confronteert hem ook met een gevaarlijke wereld vol drugs, geweld en wanhoop. Wanneer de waarheid over Candy aan het licht komt, staat Joe voor de keuze of de liefde en Candy het waard zijn om voor te vechten.

'Het lijkt onwaarschijnlijk dat Candy verliefd wordt op een besluiteloze puber als Joe, maar je voelt haar stilletjes wensen dat Joe haar komt redden, uit de klauwen van de drugsverslaving. Joe waagt het, en vanaf dat moment is *Candy* een onvervalste thriller, met constant dreigend gevaar. *Candy* is eerlijk – niet zoet, eerder bitter.' – *Kidsweek*

AANWEZIG
kevin brooks
Wie ben je?
Wat ben je?

BEDREIGD
kevin brooks

HET DODENPAD
kevin brooks
Je zusje
Je wraak

MARTYN BIG
kevin brooks
UP